Culinária de Todas as Cores

200 Receitas
Vegetarianas Criativas

Culinária de Todas as Cores

200 Receitas Vegetarianas Criativas

Louise Pickford

PUBLIFOLHA

Um livro da Hachette Livre UK Company
Título original: *All Colour: 200 Veggie Feasts*
Publicado pela primeira vez na Grã-Bretanha em 2008 pela Hamlyn, uma divisão do Octopus Publishing Group Ltd, 2-4 Heron Quays, Docklands, Londres, E14 4JP

COORDENAÇÃO DO PROJETO: PUBLIFOLHA
Coordenação editorial: Camila Saraiva
Coordenação de produção gráfica: Soraia Pauli Scarpa
Assistência de produção gráfica: Mariana Metidieri

PRODUÇÃO EDITORIAL: ESTÚDIO SABIÁ
Edição: Diego Rodrigues
Tradução: Elvira Serapicos
Preparação de texto: Paola Morsello
Revisão: Hebe Ester Lucas, Nina Rizzo
Editoração eletrônica: Pólen Editorial

Pessoas com alergia a nozes devem evitar as receitas que contenham esse ingrediente. Grávidas, crianças pequenas, idosos e doentes não devem consumir pratos que levem ovos crus ou levemente cozidos.

Dados Internacionais de Catalogação na Publicação (CIP)
(Câmara Brasileira do Livro, SP, Brasil)

Pickford, Louise

200 receitas vegetarianas criativas / Louise Pickford ; [tradução Elvira Serapicos]. – São Paulo : Publifolha, 2009. – (Coleção culinária de todas as cores)

Título original: 200 veggie feasts
ISBN 978-85-7914-049-5

1. Culinária vegetariana 2. Receitas
3. Vegetarianas I. Título. II. Séries

09-03439 CDD-641.5636

Índices para catálogo sistemático:
1. Receitas vegetarianas : Culinária 641.5636

A grafia deste livro segue as regras do **Novo Acordo Ortográfico da Língua Portuguesa**.

PUBLIFOLHA
Divisão de Publicações do Grupo Folha
Al. Barão de Limeira, 401, 6º andar
CEP 01202-900, São Paulo, SP
Tel.: (11) 3224.2186/ 2187/ 2197
www.publifolha.com.br

Impresso na Toppan, China.

sumário

introdução

introdução

A opção pela dieta vegetariana está muito mais fácil, com produtos variados e de ótima qualidade que podem ser encontrados em qualquer supermercado ou mercearia. Se você já é vegetariano, cozinha para algum vegetariano ou está apenas em busca de alguma receita inspiradora para apreciar de vez em quando, este livro contém ideias excitantes e inovadoras para as refeições do dia a dia. Cada receita é acompanhada de uma foto para que você possa ver exatamente o que irá preparar, e cada uma oferece uma variação criativa, totalizando 200 receitas em um pacote prático.

fator tempo

Como o tempo é algo precioso em nosso mundo agitado, colocar uma refeição na mesa o mais rápido possível parece algo fundamental. Este livro foi elaborado com esse objetivo específico, ou seja, oferecer uma grande variedade de pratos versáteis e fáceis de fazer. Como muitas dessas receitas deliciosas podem ser preparadas em 30 minutos ou menos, a ideia de que os pratos vegetarianos são mais complicados e demorados do que os pratos à base de carne logo será relegada à categoria de mito. Para cozinhar com mais eficiência, precisamos saber comprar, de forma que tudo esteja à mão ou possa ser adquirido no caminho do trabalho para casa. Se planejar sua semana com antecedência, comprando os ingredientes básicos e não perecíveis de uma vez, só precisará depois adquirir os ingredientes frescos. Uma boa despensa é um bem inestimável, por isso tenha sempre os produtos básicos, como azeite extravirgem, vinagre balsâmico, sal marinho, tomate em lata, feijão, lentilha, macarrão, arroz e farinha.

escolhas saudáveis

Embora a dieta vegetariana não seja garantia de boa saúde, qualquer risco associado ao consumo de carne vermelha certamente será eliminado. A menos que você seja vegano, irá consumir outros

produtos de origem animal, como ovos, queijo, manteiga, leite e creme de leite, mas é importante não tentar compensar a falta de carne consumindo exageradamente queijos, por exemplo, que são ricos em gordura saturada e podem levar a doenças cardíacas. Uma dieta equilibrada é vital para dar ao corpo a quantia certa de proteína, carboidrato, gorduras essenciais, vitaminas e minerais. Para isso, precisamos comer frutas e legumes frescos (o consumo indicado é de cinco porções ao dia), assim como feijão, grãos e produtos à base de soja combinados com porções consideráveis de ovos, leite e queijo.

Para obter o máximo dos alimentos, deve-se comprar ingredientes frescos de qualidade e evitar comida processada. Compre sempre frutas, legumes e verduras muito frescos para obter o máximo de benefícios nutricionais. A variedade de produtos orgânicos também é grande atualmente, mas ainda é uma opção mais cara. Sempre vale a pena comprar ovo caipira orgânico, mas, fora isso, você pode fazer a escolha de acordo com seu orçamento e com o que estiver mais fresco no dia. E lembre-se de que a única maneira de saber exatamente o que você está comendo é fazer a própria comida. Por isso, comece a cozinhar já e deguste uma comida vegetariana realmente incrível.

como estocar ingredientes frescos

Depois de comprar ingredientes da melhor qualidade, é importante usá-los assim que puder, ou guardá-los de forma que mantenham o maior frescor possível.

Quase todas as frutas e legumes devem ser mantidos na geladeira, mas batata, cebola, alho, maçã e outros alimentos ricos em amido devem ser mantidos em local fresco e escuro, de preferência em sacos de papel.

Conserve ervas frescas em saquinhos com fecho hermético com algumas gotas de água fria na geladeira.

receitas para todas as ocasiões

Este livro é dividido em sete capítulos para que você possa escolher facilmente o tipo de prato que quer preparar. Se estiver procurando um lanche, um prato principal, uma salada e uma sobremesa, cada receita pode ser encontrada no respectivo capítulo. Está pensando em receber alguém para jantar? Você pode montar o cardápio rapidamente procurando em cada capítulo exatamente o que deseja. E com uma variação para cada receita.

As opções vegetarianas para o **café da manhã** podem parecer limitadas, mas aqui você encontrará várias ideias deliciosas que alimentam e satisfazem. Muitos dos pratos sugeridos em **entradas e petiscos** cumprem bem os dois papéis, pois são extremamente versáteis. Alguns levam menos de 20 minutos para ficarem prontos. O que você talvez considere surpreendente em relação ao **prato principal** é que muitas das receitas não são tipicamente vegetarianas, mas pratos que tanto aqueles que comem carne como os que não comem terão o maior prazer em consumir regularmente.

O capítulo dedicado a **sopas e cozidos** apresenta receitas fáceis e rápidas, adequadas às refeições do dia a dia da família, além de outras que podem funcionar como entrada perfeita para qualquer jantar com convidados. Alguns dos pratos são leves, e outros são cozidos mais substanciais, ideais para uma noite fria de inverno.

Em **saladas e guarnições** você encontrará alguns clássicos, mas a maioria das receitas mais tradicionais apresenta um toque moderno. Alguns desses pratos podem ser acompanhamentos perfeitos para o prato principal, enquanto outros podem compor uma refeição leve e saborosa.

Existe algo de maravilhoso e reconfortante na ideia de fazer pão caseiro, e você encontrará uma grande variedade de receitas tentadoras em **pães, tortas e assados**. O maravilhoso perfume do pão feito na hora é insuperável e não pode existir maneira melhor de garantir um jantar delicioso do que fazendo uma torta saborosa. Você também ficará impressionado ao ver como é fácil fazer pizza.

Por fim, mas nem por isso menos importante, há um capítulo dedicado às

sobremesas, porque todos precisamos nos permitir saborear as coisas doces da vida de vez em quando. Algumas são absolutamente divinas e tão fáceis de fazer, que é difícil de acreditar. Outras são mais elaboradas e dão um toque verdadeiramente especial a uma ocasião mais formal, quando for receber amigos para jantar, por exemplo.

guia de ingredientes

Aqui estão algumas observações úteis sobre alguns dos ingredientes usados nas receitas, incluindo os menos comuns.

alga wakame

Esta alga seca é usada na cozinha japonesa e dá um sabor acentuado a caldos e sopas. Pode ser encontrada em lojas de produtos orientais.

arroz arbório

Arroz de grão médio italiano tradicionalmente usado para fazer risotos, pois dá consistência mais cremosa ao prato devido à alta concentração de amido.

biscoitos champanhe

Esses biscoitos finos são usados tradicionalmente para fazer o tiramisú e são fáceis de encontrar.

caldo de legumes

Use sempre caldo de boa qualidade. Normalmente, os caldos em pó são melhores do que os em cubos, mas é melhor experimentar vários até encontrar o que você mais gosta.

ervas
Use ervas frescas sempre que possível. Se tiver que usar ervas secas, use metade da quantidade indicada na lista de ingredientes. Por que não comprar alguns vasinhos e deixar no beiral da janela da cozinha?

folhas de limoeiro
São muito usadas na comida asiática, especialmente a tailandesa. Dão um perfume especial ao alimento. Na Tailândia, usa-se o limão-keffir; no Brasil, pode-se substituí-las por raspas de limão.

macarrão japonês
Encontrado em casas especializadas em produtos asiáticos. Apresenta grande variedade e é usado em sopas e caldos. Você pode escolher qualquer um para as receitas deste livro.

marsala
Vinho fortificado da Sicília de cor profunda e aroma maravilhoso e picante. Dá o sabor tradicional ao tiramisù e é também um delicioso aperitivo.

mirin
Bebida doce utilizada na cozinha japonesa, que pode ser encontrada em lojas especializadas em comida oriental ou de bebidas.

ovos
Compre sempre ovo caipira, de preferência orgânico. Se guardar os ovos na geladeira, tire-os e deixe-os em temperatura ambiente por 1 hora antes de usar.

polenta
A polenta pode ser servida cremosa ou, depois de endurecer, em cubos e grelhada. É feita com farinha de milho, que pode ser usada em seu lugar. A polenta instantânea é usada em receitas deste livro.

queijo de coalho

Tipo de queijo produzido por fermentação, especialmente no Nordeste do Brasil. Derrete muito bem, sendo muito usado em espetinhos grelhados.

queijo fontina

Queijo de leite de vaca italiano suave que derrete muito bem. Pode ser substituído por mussarela, que tem sabor mais suave. O fontina pode ser encontrado em grandes supermercados e lojas de produtos italianos.

queijo taleggio

Queijo de leite de vaca italiano macio, parecido com o brie, que pode substituí-lo. Pode ser encontrado em grandes supermercados, lojas de produtos italianos e casas especializadas em queijos.

tahine

Feito com sementes de gergelim, o tahine é muito usado na cozinha da África do Norte e é facilmente encontrado em grandes supermercados.

vinagre balsâmico

Vinagre preparado com uvas maduras e envelhecidas em barris de carvalho; é agridoce, muito aromático e de sabor forte.

café da manhã

pão com ovos e parmesão

6 porções
Preparo: **10 minutos**
Cozimento: **8-14 minutos**

6 **tomates**
4 colheres (sopa) de **patê de azeitona**
azeite extravirgem para regar
150 ml de **leite**
3 **ovos**
3 colheres (sopa) de **parmesão** ralado na hora
50 g de **manteiga**
6 fatias de **pão branco**
folhas de miniespinafre
folhas de manjericão para servir
sal e **pimenta-do-reino**

Corte os tomates ao meio e tire todas as sementes. Coloque numa assadeira com o lado cortado para cima. Passe um pouco de patê em cada tomate e regue com um pouco de azeite. Cozinhe no forno preaquecido por 2-3 minutos, até ficarem macios e dourados. Mantenha-os quentes.

Bata o leite, os ovos, o parmesão e um pouco de sal e pimenta em uma tigela. Despeje em um prato raso. Derreta metade da manteiga em uma frigideira grande. Molhe três fatias de pão na mistura de ovos, ponha na frigideira e frite em fogo médio por 3-4 minutos, virando uma vez, até os dois lados ficarem dourados. Retire e mantenha aquecido em forno moderado. Repita com as outras fatias de pão.

Sirva os pães com ovos cobertos com os tomates grelhados, folhas de miniespinafre e algumas folhas de manjericão.

Variação: pão com ovos doce. Molhe três fatias de brioche em uma mistura de 2 ovos batidos, 25 g de açúcar e ½ colher (chá) de canela. Derreta 25 g de manteiga em uma frigideira, coloque as fatias de brioche e frite por 2-3 minutos de cada lado até dourar. Repita com as outras fatias. Sirva salpicadas com açúcar cristal, frutas vermelhas e uma colherada de creme batido.

omelete de queijo de cabra

4 porções
Preparo: **5 minutos**
Cozimento: **12 minutos**

12 **ovos**
4 colheres (sopa) de **leite**
4 colheres (sopa) de **ervas variadas** (salsinha, hortelã, cebolinha, manjericão)
50 g de **manteiga**
125 g de **queijo de cabra** em pedaços
folhas de minirrúcula
sal e **pimenta-do-reino**

Bata os ovos, o leite, as ervas, sal e pimenta em uma tigela grande. Derreta 1/4 da manteiga em uma omeleteira. Assim que parar de soltar fumaça, coloque 1/4 da mistura de ovos e cozinhe em fogo médio, espalhando a omelete com um garfo para que cozinhe uniformemente.

Quando estiver cozida de um lado, mas ainda crua no centro, espalhe 1/4 do queijo e 1/4 das folhas de rúcula sobre metade da omelete. Passe a omelete com cuidado para um prato de servir aquecido, dobrando-a no meio. O melhor é servi-la imediatamente, repetindo o procedimento para fazer as outras 3 omeletes e servindo-as individualmente. Você também pode mantê-las aquecidas em forno moderado e servi-las ao mesmo tempo.

Variação: omelete de queijo e tomate. Siga a receita acima até o fim do primeiro estágio. Coloque por cima de cada omelete 15 g de queijo cheddar grelhado e 25 g de tomates-cereja cortados ao meio. Passe a omelete com cuidado para um prato aquecido, dobrando-a ao meio. Repita para fazer mais 3.

ovos quentes com mostarda

4 porções
Preparo: **5 minutos**
Cozimento: **5 minutos**

2 colheres (chá) de **mostarda em grão** ou a gosto
50 g de **manteiga sem sal** em temperatura ambiente
4 **ovos** grandes
4 fatias grossas de **pão branco**
pimenta-do-reino
mostarda e **agrião** para servir

Bata a mostarda, a manteiga e a pimenta em uma pequena tigela.

Cozinhe os ovos em uma panela com água fervente por 4-5 minutos. Enquanto isso, faça as torradas com o pão, passe de um lado a mistura de mostarda e corte-as do tamanho de um dedo.

Sirva os ovos com as torradas e um pouco de mostarda e agrião.

Variação: ovos quentes com aspargos. Substitua as torradas por aspargos cozidos na hora. Retire a ponta e a pele de 2 maços de aspargos. Cozinhe por 2-3 minutos até ficarem macios, e sirva com o ovo quente.

café da manhã vegetariano

4 porções
Preparo: **10 minutos**
Cozimento: **35 minutos**

500 g de **batata** cozida em cubos
4 colheres (sopa) de **azeite**
alguns ramos de **tomilho**
250 g de **champignons**
12 **tomates-cereja**
4 **ovos**
sal e **pimenta-do-reino**
2 colheres (sopa) de **salsa** picada para enfeitar
torrada amanteigada para servir (opcional)

Espalhe os pedaços de batata em uma assadeira. Regue com metade do azeite, espalhe os ramos de tomilho e tempere com sal e pimenta. Asse em forno preaquecido a 220°C por 10 minutos.

Mexa bem os pedaços de batata, acrescente os champignons e asse por 10 minutos. Adicione os tomates e deixe mais 10 minutos.

Abra quatro buracos entre os legumes e quebre um ovo em cada um. Asse por mais 3-4 minutos, até os ovos cozinharem. Enfeite com a salsa picada e sirva direto da assadeira, com torradas amanteigadas.

Variação: refeição vegetariana. Use 750 g de batatas e 400 g de champignons. Siga a receita acima, mas sem os ovos, e espalhe 125 g de queijo cheddar sobre os legumes nos últimos 10 minutos.

muffins de queijo e tomate

8 porções
Preparo: **10 minutos**
Cozimento: **20-25 minutos**

azeite para borrifar
150 g de **farinha com fermento**
½ colher (chá) de **sal**
100 g de **farinha de milho**
65 g de **queijo cheddar** picado
50 g de **tomate seco** picado
2 colheres (sopa) de **manjericão** picado
1 **ovo** levemente batido
300 ml de **leite**
2 colheres (sopa) de **azeite extravirgem**
manteiga para servir

Borrife levemente 8 forminhas de muffin com azeite. Coloque a farinha e o sal em uma tigela e acrescente a farinha de milho, 50 g do queijo, os tomates e o manjericão. Abra uma cova no meio.

Bata o ovo, o leite e o azeite em outra tigela, despeje no buraco e misture tudo muito bem. A mistura deve ficar um pouco granulada.

Divida a mistura nas fôrmas untadas e espalhe o restante do queijo. Asse em forno preaquecido a 180°C por 20-25 minutos, até crescer e dourar. Deixe esfriar por 5 minutos. Sirva quente com manteiga.

Variação: muffins com pinholes e azeitonas. Substitua os tomates secos por 100 g de azeitonas pretas e misture 50 g de pinholes. Mantenha o manjericão ou use tomilho fresco. Continue a receita como indicado acima.

ovos mexidos com pesto

4 porções
Preparo: **5 minutos**
Cozimento: **5 minutos**

12 **ovos**
100 ml de **creme de leite**
25 g de **manteiga**
4 fatias de **pão com grãos** torradas
4 colheres (sopa) de **pesto** (p. 86)
sal e **pimenta-do-reino**

Bata os ovos, o creme de leite e um pouco de sal e pimenta em uma tigela. Derreta a manteiga em uma frigideira antiaderente grande, coloque a mistura de ovos e mexa em fogo baixo com uma colher de pau, cozinhando até o ponto de sua preferência.

Coloque uma torrada em cada prato. Disponha ¼ dos ovos mexidos sobre cada uma, faça um buraco no centro e coloque uma colher (sopa) do pesto. Sirva imediatamente.

Variação: ovos mexidos com queijo. Substitua o pesto por 125 g de queijo branco picado e 2 colheres (sopa) de salsa picada. Acrescente aos ovos pouco antes de servir.

batata rösti com ovos

4 porções
Preparo: **15 minutos**
Cozimento: **15 minutos**

750 g de **batata**
1 **cebola** em fatias bem finas
2 colheres (chá) de **alecrim**
4 colheres (sopa) de **azeite**
4 **ovos** grandes
sal e **pimenta-do-reino**
salsa picada para enfeitar

Descasque e rale as batatas grosseiramente. Envolva-as em um pano de prato limpo e aperte para retirar o excesso de líquido. Coloque em uma tigela e misture a cebola, o alecrim, sal e pimenta.

Aqueça metade do azeite em uma frigideira grande. Divida a mistura em quatro e coloque em 4 colheradas na frigideira, pressionando para formar 4 discos. Cozinhe em fogo médio por 5 minutos de cada lado, disponha em pratos aquecidos e mantenha-os quentes em forno moderado.

Aqueça o restante do azeite na frigideira por cerca de 1 minuto, até ficar bem quente. Coloque os ovos, 2 de cada vez, e frite até que a clara esteja crocante. Sirva os ovos sobre as batatas, enfeitados com a salsa picada.

Variação: batata rösti com ovos pochés. Coloque água levemente salgada em uma panela e deixe ferver. Acrescente 1 colher (sopa) de vinagre branco. Quebre 1 ovo em uma xícara. Gire a água delicadamente com uma colher grande e coloque o ovo no centro. Cozinhe por 2-3 minutos. Retire o ovo com a escumadeira. Repita com os outros ovos e termine como indicado acima.

cogumelos na torrada

4 porções
Preparo: **10 minutos**
Cozimento: **5 minutos**

25 g de **manteiga**
3 colheres (sopa) de **azeite extravirgem**, mais um pouco para servir
750 g de **cogumelos** variados, limpos e fatiados
2 **dentes de alho** amassados
1 colher (sopa) de **tomilho**
raspas e suco de 1 **limão-siciliano**
2 colheres (sopa) de **salsa** picada
4 fatias de **pão integral**
100 g de **folhas de salada variadas**
sal e **pimenta-do-reino**
lascas de **parmesão** cortadas na hora, para servir

Derreta a manteiga com o azeite em uma frigideira grande. Assim que parar de borbulhar, coloque os cogumelos, o alho, o tomilho, as raspas de limão, sal e pimenta e cozinhe em fogo médio, mexendo, por 4-5 minutos, até ficarem macios. Adicione a salsa e o suco de limão.

Enquanto isso, toste o pão e coloque-o nos pratos para servir.

Cubra os pães com as folhas de salada e os cogumelos, espalhe um pouco mais de suco de limão e de azeite. Junte as lascas de parmesão e sirva imediatamente.

Variação: cogumelos do campo com camembert na torrada. Limpe 8 cogumelos grandes, misture com 2 colheres (sopa) de azeite e cozinhe em forno preaquecido por 4-5 minutos de cada lado. Toste levemente 4 fatias de pão integral, distribua os cogumelos por cima e cubra cada uma com 2 fatias de queijo camembert. Leve ao forno por 2-3 minutos, até derreter o queijo, e sirva.

panquecas com calda de mirtilo

4-6 porções
Preparo: **10 minutos**
Cozimento: **20 minutos**

15 g de **manteiga**
150 g de **farinha com fermento**
1 colher (chá) de **bicarbonato de sódio**
40 g de **açúcar**
1 **ovo** batido
200 g de **iogurte natural**
açúcar cristal para polvilhar
creme de leite fresco para servir

Para a calda de mirtilo
250 g de **mirtilos** frescos
2 colheres (sopa) de **mel claro**
uma pitada de **suco de limão-siciliano**

Aqueça os mirtilos com o mel e o suco de limão em uma panelinha em fogo baixo por cerca de 3 minutos, até começar a soltar suco. Mantenha aquecido.

Derreta manteiga em outra panelinha. Coloque a manteiga e o bicarbonato em uma tigela e misture com o açúcar. Bata o ovo e o iogurte em outra tigela e vá aos poucos incorporando os ingredientes secos e a manteiga derretida até obter uma massa homogênea.

Esquente uma frigideira antiaderente. Quando estiver bem quente, despeje colheradas da massa e deixe cozinhar em fogo alto por 3 minutos, até surgirem bolhas na superfície. Vire as panquecas e cozinhe por mais 1 minuto. Retire e mantenha-as quentes em forno moderado. Repita com o restante da massa.

Sirva as panquecas cobertas com a calda de mirtilo, o creme de leite fresco e finalize com o açúcar cristal.

Variação: panquecas com calda de maçã. Substitua os mirtilos por maçãs descascadas e picadas e use melado em vez de mel, acrescentando 1 colher (chá) de canela em pó.

ricota com frutas vermelhas

4 porções
Preparo: **10 minutos**

125 g de **framboesas**
2 colheres (chá) de **água de rosas**
250 g de **ricota**
250 g de **frutas vermelhas** frescas
2 colheres (sopa) de **mel com o favo**
2 colheres (sopa) de **sementes de abóbora** tostadas
uma pitada de **canela**

Passe as framboesas por uma peneira bem fina e misture com a água de rosas. Você também pode colocar as framboesas com a água de rosas no processador e bater até formar um purê. Coe para tirar as sementes.

Corte a ricota em quatro e disponha nos pratos com as frutas vermelhas. Regue com o mel e o purê de framboesa, acrescentando um pedaço do favo. Salpique as sementes de abóbora e a canela e sirva.

Variação: purê de damascos (ou pêssegos). Para acompanhar a ricota com frutas vermelhas, substitua as framboesas por damascos (ou pêssegos) maduros picados e a água de rosas por água de flor de laranjeira. Bata as frutas no processador – não é preciso peneirá-las.

croissants cítricos

2-4 porções
Preparo: **15 minutos**
Cozimento: **5 minutos**

2 **laranjas**
50 ml de **iogurte natural** integral
2 **grapefruits** pequenos
1 colher (chá) de **canela**, mais um pouco para enfeitar
1 colher (sopa) de **açúcar**
4 **croissants**

Rale a casca de uma das laranjas e misture ao iogurte em uma tigela.

Descasque a outra laranja e tire a pele branca das duas laranjas e do grapefruit. Trabalhando sobre outra tigela para aproveitar o suco, corte entre os gomos para separá-los. Misture-os com o suco, a canela e o açúcar em uma panelinha. Aqueça em fogo baixo por 1-2 minutos.

Enquanto isso, asse os croissants em forno preaquecido por 5 minutos, ou até ficarem aquecidos por inteiro e levemente tostados.

Corte os croissants ao meio e coloque a mistura de frutas sobre as metades de baixo. Cubra com uma colherada da mistura de iogurte e uma pitada de canela, e a outra parte do croissant. Sirva imediatamente.

Variação: croissants com creme de morango. Misture 250 g de morangos cortados ao meio com 150 ml de creme de leite fresco e 1-2 colheres (sopa) de açúcar cristal. Regue com um pouquinho de licor e coloque nos croissants tostados.

muffins de chocolate

6 porções
Preparo: **10 minutos**
Cozimento: **15 minutos**

50 g de lascas de **chocolate amargo**
50 g de **manteiga sem sal**
2 **ovos**
75 g de **açúcar**
75 g de **farinha com fermento**
25 g de **cacau em pó**
25 g de lascas de **chocolate branco**

Forre 6 forminhas de muffins com forminhas de papel.

Derreta as lascas de chocolate amargo e a manteiga em uma panelinha em fogo baixo. Bata os ovos, o açúcar, a farinha e o cacau em uma tigela. Acrescente a mistura de chocolate e as lascas de chocolate branco.

Passe a mistura para as forminhas e asse em forno preaquecido a 180°C por 12 minutos, até crescerem e ficarem firmes ao toque. Deixe esfriar um pouco. Sirva ainda quente.

Variação: muffins de chocolate com nozes. Substitua as lascas de chocolate branco por 100 g de nozes picadas. Continue a receita como indicado acima. Se desejar, decore cada muffin com 1 colher (chá) de chocolate derretido e meia noz.

entradas e petiscos

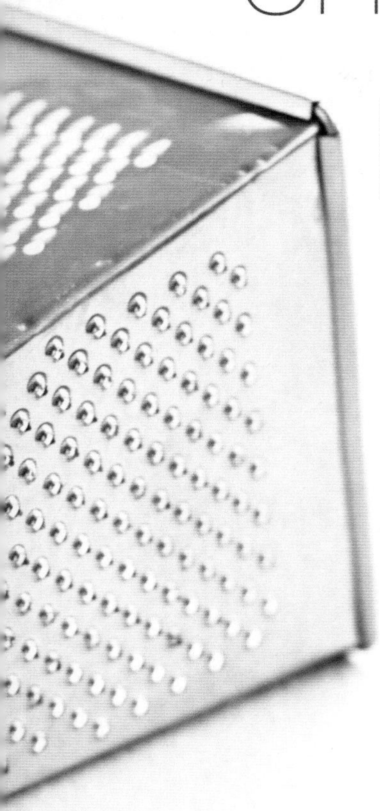

queijo de coalho com romã

4 porções
Preparo: **10 minutos**
Cozimento: **5 minutos**

500 g de **queijo de coalho** fatiado
1 colher (sopa) de **mel**

Para o molho de romã
½ **romã**
4 colheres (sopa) de **azeite extravirgem**
2 colheres (sopa) de **salsa** picada
1 colher (sopa) de **suco de limão-siciliano**
1 **pimenta vermelha** pequena sem sementes picada
1 **dente de alho** amassado
1 colher (chá) de **calda de romã** (opcional)
sal e **pimenta-do-reino**

Faça primeiro o molho de romã. Retire as sementes da romã com cuidado, removendo toda a casca branca, e coloque em uma tigela. Misture os outros ingredientes e tempere com sal e pimenta.

Aqueça uma frigideira antiaderente grande por 2-3 minutos, até ficar bem quente. Coloque as fatias de queijo aos poucos e cozinhe em fogo alto por cerca de 60 segundos de cada lado, até ficarem corados e macios.

Enquanto isso, aqueça o mel em uma panela até ficar bem líquido.

Disponha o queijo frito em pratos de servir e cubra com o molho. Espalhe o mel por cima e sirva imediatamente.

Variação: molho de abacate. Descasque, tire o caroço e pique bem 1 abacate maduro; misture com 4 cebolinhas bem picadas, 1 colher (sopa) de suco de limão, 1 colher (sopa) de coentro fresco, sal e pimenta a gosto.

fritadas de milho

4 porções
Preparo: **20 minutos**, mais o tempo de resfriamento
Cozimento: **cerca de 45 minutos**

275 g de **milho** em lata escorrido
65 g de **farinha de trigo**
1 colher (chá) de **fermento**
1 **ovo** levemente batido
2 colheres (sopa) de **shoyu light**
1½ colher (sopa) de **suco de limão**
4 colheres (sopa) de **raspas de limão**
1 colher (sopa) de **coentro** fresco
2 colheres (sopa) de **óleo de milho**

Para a geleia de pimenta
500 g de **tomates** maduros
4 **pimentas-malaguetas**
2 **dentes de alho**
2 colheres (sopa) de **shoyu**
200 g de **açúcar mascavo**
75 ml de **vinagre de arroz**
½ colher (chá) de **sal**

Faça primeiro o molho de pimenta. Pique os tomates, as pimentas e os dentes de alho e bata no processador até ficar cremoso. Passe para uma panela e junte os outros ingredientes. Ferva, diminua o fogo e deixe cozinhar por 30-40 minutos, mexendo de vez em quando para não grudar, até ficar com a consistência de geleia. Deixe esfriar completamente.

Coloque metade do milho no processador e bata até ficar macio. Misture com a farinha, o fermento, o ovo, o shoyu e o suco de limão. Bata de novo no processador e coloque em uma tigela. Misture o restante do milho, as raspas de limão e o coentro.

Aqueça o óleo em uma frigideira grande. Coloque 6 colheradas separadas da mistura, amasse-as para ficarem achatadas e frite em fogo médio por 1 minuto de cada lado, até ficarem inteiramente cozidas. Repita com o restante da mistura até fazer 12 fritadas de 5 cm cada. Sirva quente com o molho de pimenta, enfeitadas com pedaços de limão e ramos de coentro.

Variação: wraps de fritada de milho. Coloque as fritadas em 4 folhas grandes de alface-americana ou alface-romana. Adicione o molho de pimenta, dobre e sirva. Para ficar mais substancial, faça wraps, envolvendo com tortilhas as fritadas com alface picada cobertas de geleia de pimenta.

nhoque com manteiga de sálvia

4 porções
Preparo: **30 minutos**
Cozimento: **15-18 minutos**

500 g de **batata** em cubos
1 **ovo** batido
1 colher (chá) de **sal marinho**
2 colheres (sopa) de **azeite**
175 g de **farinha de trigo**
125 g de **manteiga**
2 colheres (sopa) de **sálvia picada**
parmesão ralado na hora para servir

Cozinhe as batatas em uma panela com água fervente levemente salgada por 10-12 minutos, até ficarem macias. Escorra, recoloque na panela e aqueça em fogo baixo por alguns segundos, até secarem totalmente. Amasse as batatas e misture o ovo, o sal, o azeite e a farinha, até formar uma massa pegajosa.

Amasse pedaços da massa do tamanho de uma noz ovalada, marcando-os com os dentes do garfo.

Ferva uma panela grande com água levemente salgada, coloque metade do nhoque (congele o restante para usar depois) e cozinhe por 3 minutos, até subir à superfície. Escorra e passe para tigelas de servir.

Derreta a manteiga em uma frigideira. Assim que parar de borbulhar, coloque as folhas de sálvia e frite em fogo médio, mexendo, por 2-3 minutos, até ficarem crocantes e a manteiga dourada. Espalhe por cima do nhoque com parmesão ralado e sirva imediatamente.

Variação: nhoque gratinado com tomate e manteiga de sálvia. Siga a receita acima, mas depois de escorrer o nhoque, coloque-o em 4 travessas refratárias e divida 8 tomates em quartos pelas travessas. Misture os tomates com o nhoque. Espalhe a manteiga de sálvia pelo nhoque e polvilhe com parmesão ralado. Aqueça em forno preaquecido por 1-2 minutos, até ficar dourado.

panini de queijo e batata-doce

2-4 porções
Preparo: **10 minutos**
Cozimento: **10-15 minutos**

250 g de **batata-doce** descascada em fatias finas
1 colher (sopa) de **azeite extravirgem**
óleo de milho para fritar
12 **folhas de sálvia**
1 **ciabatta**
2 colheres (sopa) de **patê de azeitona**
250 g de queijo **fontina** fatiado
sal e **pimenta-do-reino**

Regue a batata-doce com o azeite e tempere levemente com sal e pimenta. Aqueça uma panela de fundo estriado. Coloque as fatias de batata-doce, aos poucos, se necessário, e cozinhe por 3-4 minutos de cada lado, até ficarem tostadas e macias. Retire e reserve. Limpe a panela.

Aqueça um pouco de óleo em uma frigideira pequena, coloque as folhas de sálvia e frite em fogo médio, mexendo, por 1-2 minutos, até ficarem crocantes. Retire e seque em papel-toalha.

Corte a ciabatta em quatro, de forma que os pedaços caibam no fundo da panela estriada. Aqueça a panela e pincele um pouco de óleo. Coloque os pedaços de ciabatta com o lado cortado para baixo e cozinhe por 1 minuto, até ficarem tostados. Dependendo do tamanho da panela, toste um pouco de cada vez.

Espalhe o patê de azeitona no lado tostado da ciabatta, sobreponha camadas de queijo fontina, folhas de salsa e fatias de batata-doce e cubra com a outra fatia de pão.

Coloque os sanduíches inteiros na panela e cozinhe por 1-2 minutos de cada lado, até ficarem tostados e o queijo derretido. Sirva imediatamente com uma salada verde.

Variação: berinjela com mussarela. Use 1 berinjela grande em fatias de 5 mm, em vez da batata-doce, e substitua o fontina por mussarela. Tempere com folhas de manjericão, em vez da sálvia, sem fritar. Continue a receita como indicado acima.

bruschetta com tomate e ricota

4 porções
Preparo: **10 minutos**
Cozimento: **15 minutos**

500 g de **tomates-cereja** maduros
2 colheres (sopa) de **azeite extravirgem**
4 fatias grandes de **pão italiano**
1 **dente de alho** descascado
350 g de **ricota**
½ receita de **azeite de manjericão** (p. 124)
sal e **pimenta-do-reino**
folhas de manjericão para enfeitar

Espalhe os tomates em uma assadeira, tempere com sal e pimenta e regue com o azeite extravirgem. Asse em forno preaquecido a 220°C por 15 minutos.

Aqueça uma panela de fundo estriado até ficar bem quente. Coloque as fatias de pão e deixe tostar os dois lados. Esfregue o dente de alho na superfície.

Cubra cada bruschetta com uma fatia de ricota e os tomates assados e regue com o azeite de manjericão. Enfeite com as folhas de manjericão.

Variação: bruschetta com figos, rúcula e queijo feta. Asse 4 fatias de pão italiano como indicado acima e esfregue o dente de alho. Misture 4 figos em quartos com 150 g de queijo feta (ou branco) picado, uma boa porção de minirrúcula e um pouco de hortelã picada. Coloque sobre a bruschetta e sirva regada com azeite extravirgem.

crostinis com pesto de ricota

6 porções
Preparo: **10 minutos**, mais tempo para resfriar
Cozimento: **10 minutos**

1 **baguete** pequena fatiada
3 colheres (sopa) de **azeite extravirgem**, mais um pouco para servir
250 g de **ervilhas** frescas ou congeladas
1 **dente de alho** amassado
50 g de **ricota**
suco de ½ **limão-siciliano**
1 colher (sopa) de **hortelã** picada
15 g de **parmesão** ralado na hora
sal e **pimenta-do-reino**

Coloque as fatias de pão em uma assadeira, espalhe 1 colher (sopa) de azeite e asse em forno preaquecido a 190°C por 5-6 minutos, até ficarem douradas e crocantes.

Cozinhe as ervilhas em uma panela com água fervente levemente salgada por 3 minutos. Escorra e passe sob água corrente para esfriar. Bata as ervilhas no processador e junte o restante do azeite, o alho, a ricota, o suco de limão, a hortelã, o parmesão, sal e pimenta, até ficar cremoso.

Espalhe o pesto nas fatias de pão, regue com azeite e sirva.

Variação: favas com pesto de dill. Substitua as ervilhas por 250 g de favas frescas ou congeladas e cozinhe em uma panela com água fervente levemente salgada por 3 minutos. Escorra bem, deixe esfriar e continue como indicado acima, substituindo a hortelã por dill.

fritada de queijo de cabra

4 porções
Preparo: **10 minutos**
Cozimento: **10 minutos**

25 g de **manteiga**, mais um pouco se necessário
18 folhas grandes de **sálvia**
50 g de **queijo de cabra macio** em pedaços
2 colheres (sopa) de **creme de leite** fresco
4 **ovos**
sal e **pimenta-do-reino**

Derreta a manteiga em uma frigideira antiaderente. Quando parar de borbulhar, coloque as folhas de sálvia e refogue em fogo médio, mexendo, por 2-3 minutos, até ficarem crocantes e a manteiga dourada. Tire 6 folhas e seque em papel-toalha. Passe as outras folhas com manteiga para uma tigela.

Bata o queijo de cabra e o creme de leite fresco em uma tigela diferente. Bata os ovos em outra tigela, tempere com sal e pimenta e adicione as folhas de sálvia com a manteiga.

Reaqueça a frigideira, colocando mais manteiga se necessário. Coloque a mistura de ovos e espalhe a mistura com queijo de cabra. Cozinhe em fogo médio por 4-5 minutos, até ficar cozido por baixo, e coloque no forno preaquecido para dourar levemente. Deixe esfriar um pouco e transfira a fritada com cuidado para uma travessa. Enfeite com as folhas reservadas e sirva com pão crocante.

Variação: fritada de espinafre e queijo de cabra. Refogue 175 g de miniespinafre e 1 dente de alho amassado na manteiga em vez da sálvia por 2 minutos, até o espinafre murchar. Misture aos ovos batidos do segundo passo e continue como indicado acima.

figos assados com queijo de cabra

4 porções
Preparo: **10 minutos**
Cozimento: **10-12 minutos**

8 **figos** frescos maduros e firmes
75 g de **queijo de cabra macio**
8 **folhas de hortelã**
2 colheres (sopa) de **azeite extravirgem**
sal e **pimenta-do-reino**

Para a salada de rúcula
150 g de **minirrúcula**
1 colher (sopa) de **azeite extravirgem**
1 colher (sopa) de **suco de limão-siciliano**
sal e **pimenta-do-reino**

Corte cada figo em 'x' sem separar a base e disponha-os numa assadeira. Coloque 1 colher (chá) de queijo de cabra e uma folha de hortelã em cada figo. Tempere com sal e pimenta e regue com o azeite. Leve ao forno preaquecido a 190°C por 10-12 minutos, até os figos ficarem macios e o queijo derretido.

Coloque as folhas de minirrúcula em uma tigela. À parte, misture o azeite, o suco de limão, sal e pimenta e regue com essa mistura as folhas. Sirva com os figos.

Variação: figos recheados com mussarela e manjericão. Substitua o queijo de cabra por 125 g de mussarela fatiada e use manjericão em vez de hortelã. Siga a receita acima. Sirva com salada de agrião em vez de rúcula.

tofu com molho apimentado

4 porções
Preparo: **15 minutos**, mais o tempo de resfriamento
Cozimento: **cerca de 15 minutos**

óleo de milho para fritar
500 g de **tofu**
50 g de **farinha de milho**
2 colheres (chá) de **sal**, mais um pouco para servir
1 colher (chá) de **cinco especiarias em pó** (anis, pimenta, dill, cravo e canela) mais um pouco para servir

Para o molho apimentado
75 ml de **vinagre de arroz**
75 ml de **água**
2 colheres (sopa) de **açúcar**
1 colher (sopa) de **shoyu light**
1 **pimenta vermelha** grande sem sementes bem picada
1 colher (chá) de **azeite**

Faça o molho primeiro. Misture o vinagre, a água e o açúcar em uma tigela e mexa até dissolver o açúcar. Ferva em uma panela, diminua o fogo e cozinhe por 5-6 minutos, até reduzir pela metade e ficar com aspecto de calda. Deixe esfriar por 30 minutos, misture o shoyu, a pimenta e o azeite. Coloque em uma tigela de servir.

Aqueça 5 cm de óleo de milho em uma panela funda e pesada até chegar a 180-190°C, ou até tostar um pedaço de pão em 30 segundos. Enquanto isso, corte o tofu em quadrados de 3 cm. Misture a farinha de milho, sal e as cinco especiarias em uma tigela. Passe os cubos de tofu aos poucos nessa mistura, coloque no óleo quente e frite por 2-3 minutos, até ficarem crocantes e dourados. Retire com a escumadeira e seque em papel-toalha.

Disponha o tofu em uma travessa e salpique com um pouco mais de sal e de especiarias. Sirva com o molho picante.

Variação: tofu picante assado. Corte 500 g de tofu bem firme em quadrados de 2,5 cm. Misture com 2 colheres (sopa) de shoyu, 1 colher (sopa) de molho de pimenta doce, 1 colher (chá) de mel e uma pitada de cinco especiarias em pó. Espalhe em uma assadeira e asse em forno preaquecido a 220°C por 15-20 minutos, até ficar dourado.

pasta de berinjela

4 porções
Preparo: **15 minutos**, mais tempo para esfriar
Cozimento: **15 minutos**

1 **berinjela** grande
4 colheres (sopa) de **azeite extravirgem**
1 colher (chá) de **cominho** em pó
150 ml de **coalhada**
1 **dente de alho** amassado
2 colheres (sopa) de **coentro fresco** picado
1 colher (sopa) de **suco de limão-siciliano**
4 **pães sírios**
sal e **pimenta-do-reino**

Corte a berinjela no comprimento em fatias de 5 mm. Misture 3 colheres (sopa) do azeite com o cominho, sal e pimenta e passe nas fatias de berinjela. Grelhe numa chapa ondulada ou no forno preaquecido por 3-4 minutos de cada lado, até ficarem macias e tostadas. Deixe esfriar e pique bem.

Misture em uma tigela a berinjela com a coalhada, o alho, o coentro, o suco de limão, o restante do azeite, sal e pimenta a gosto. Passe para uma tigela de servir.

Toste o pão sírio numa chapa ondulada ou no forno preaquecido por 3 minutos de cada lado. Corte em triângulos e sirva imediatamente com a pasta de berinjela.

Variação: pasta de pepino e hortelã. Rale bem ½ pepino e esprema para tirar a água; coloque em uma tigela e misture o restante dos ingredientes como indicado acima, substituindo o coentro por hortelã picada.

falafel com pão sírio

4 porções
Preparo: **15 minutos**, mais o tempo da demolha
Cozimento: **12 minutos**

250 g de **grão-de-bico**
1 **cebola** pequena picada
2 **dentes de alho** amassados
½ ramo de **salsa**
½ ramo de **coentro fresco**
2 colheres (chá) de **coentro em pó**
½ colher (chá) de **fermento em pó**
óleo de milho para fritar
4 **pães sírios**
folhas de salada
2 **tomates** picados
coalhada para servir

Coloque o grão-de-bico em uma tigela, acrescente água fria até 10 cm acima do grão-de-bico e deixe de molho durante a noite.

Escorra o grão-de-bico no dia seguinte e bata no processador. Junte a cebola, o alho, as ervas, o coentro em pó, o fermento, sal e pimenta e bata de novo até ficar bem cremoso. Com as mãos úmidas, molde 16 bolinhos.

Aqueça um pouco de óleo em uma frigideira grande, coloque os bolinhos aos poucos, e deixe fritar em fogo médio por 3 minutos de cada lado, até ficarem dourados e bem cozidos. Seque em papel-toalha.

Corte o pão sírio ao meio e recheie com falafel, folhas de salada e tomate. Junte uma colherada de coalhada e sirva imediatamente.

Variação: salada de falafel. Misture 4 punhados de folhas de salada variadas com um pouco de azeite extravirgem, suco de limão, sal e pimenta, e disponha em pratos de servir. Limpe e pique um pimentão vermelho e espalhe sobre a salada. Cubra com falafel e uma colherada de molho de coalhada e tahine (p. 76).

abóbora com pesto de nozes

4 porções
Preparo: **15 minutos**
Cozimento: **20-25 minutos**

1 kg de **abóbora**
azeite extravirgem para pincelar
sal e **pimenta-do-reino**

Para o pesto de nozes
50 g de **nozes** tostadas
2 **cebolinhas** picadas
1 **dente de alho** grande amassado
50 g de **folhas de rúcula**, mais um pouco para servir
6 colheres (sopa) de **azeite extravirgem**
sal e **pimenta-do-reino**

Corte a abóbora em 8 pedaços. Retire as sementes e as fibras, mas deixe a casca. Pincele bem com azeite, tempere com sal e pimenta e disponha em uma assadeira grande. Asse em forno preaquecido a 220°C por 20-25 minutos, até ficar macia, virando depois de 10 minutos.

Enquanto isso, faça o pesto. Bata as nozes, as cebolinhas, o alho e a rúcula no processador. Com o motor girando acrescente aos poucos o azeite. Tempere o pesto com sal e pimenta.

Sirva a abóbora assada com o pesto e folhas de rúcula.

Variação: nhoque com pesto de nozes. Prepare o pesto conforme a receita acima. Faça o nhoque seguindo a receita da página 46, usando metade da quantia indicada para uma entrada ou todo o nhoque se for o prato principal. Se já tiver metade do nhoque no freezer, cozinhe-o em uma panela grande com água fervente levemente salgada por 5-6 minutos, até o nhoque subir à superfície; escorra, disponha numa travessa untada com manteiga e cubra com o pesto.

won tons de cogumelos

4 porções
Preparo: **30 minutos**, mais o tempo de resfriamento
Cozimento: **10-12 minutos**

- 2 colheres (sopa) de **óleo de milho**
- 1 **dente de alho** amassado
- 1 colher (chá) de **gengibre fresco** ralado
- 250 g de **cogumelos variados** picados
- 1 colher (sopa) de **shoyu**
- 1 colher (sopa) de **coentro fresco**
- 16 folhas de **massa para won ton** (à venda em lojas de produtos orientais)
- **sal**

Para o molho de pimenta-chinesa

- 1 colher (chá) de **pimenta seca em flocos**
- 150 ml de **caldo de legumes**
- 1 colher (sopa) de **vinagre de arroz**
- 1 colher (sopa) de **shoyu light**
- 2 colheres (chá) de **açúcar**
- ½ colher (chá) de **pimenta--chinesa** moída na hora

Aqueça o óleo em uma frigideira, coloque o alho e o gengibre e refogue em fogo médio, mexendo, por 2-3 minutos. Junte os cogumelos e o shoyu e frite, mexendo, por 3-4 minutos, até dourar. Tire do fogo, tempere com sal, pimenta e o coentro. Deixe esfriar.

Prepare o molho colocando todos os ingredientes em uma panela em fogo baixo. Mexa até ficar quente, mas sem ferver. Mantenha quente.

Coloque 1 colher (chá) da mistura de cogumelos no centro de cada won ton. Pincele com um pouco de água em volta do recheio e dobre ao meio na diagonal, apertando as beiradas para fechar.

Encha uma panela grande com água levemente salgada e quando começar a ferver coloque os won tons; cozinhe por 2-3 minutos, até subirem à superfície. Retire-os e coloque em tigelas aquecidas. Espalhe o molho por cima e sirva imediatamente.

Variação: won tons de cogumelos crocantes.
Aqueça 5 cm de óleo de milho em um frigideira funda e pesada até atingir 180-190°C, ou até que um pedaço de pão fique corado em 30 segundos. Frite os won tons aos poucos por 2-3 minutos, até ficarem dourados e crocantes. Retire com uma escumadeira e seque em papel-toalha. Sirva com geleia de pimenta (p. 44).

homus de alecrim com ervilha

4-6 porções
Preparo: **10 minutos**, mais o tempo de resfriamento
Cozimento: **10 minutos**

6 colheres (sopa) de **azeite extravirgem**, mais um pouco para servir
4 **cebolas** pequenas bem picadas
2 **dentes de alho** amassados
1 colher (chá) de **alecrim** e alguns ramos para enfeitar
raspas e suco de ½ **limão siciliano**
800 g de **ervilha manteiga** em lata
sal e **pimenta-do-reino**
ciabatta tostada, para servir

Aqueça o azeite em uma frigideira, coloque a cebola, o alho, o alecrim e as raspas de limão e refogue em fogo baixo, mexendo de vez em quando, por 10 minutos, até a cebola ficar macia. Deixe esfriar.

Aqueça a mistura no processador, junte o restante dos ingredientes e bata até ficar bem cremoso.

Espalhe o homus nas torradas de ciabatta, enfeite com alecrim e sirva regado com um filete de azeite.

Variação: homus de grão-de-bico e pimenta. Coloque 800 g de grão-de-bico cozido escorrido no processador junto com 2 pimentas sem sementes picadas, e 1 dente de alho grande amassado, 2 colheres (sopa) de suco de limão e sal e pimenta a gosto. Adicione azeite suficiente para ficar macio. Sirva a pasta com legumes crus.

tortinhas de gorgonzola com nozes

8 porções
Preparo: **20 minutos**, mais o tempo de resfriamento
Cozimento: **35-40 minutos**

40 g de **manteiga**
500 g de **cebola** bem fatiada
2 **dentes de alho** amassados
1 colher (sopa) de **tomilho**
50 g de **nozes** picadas
350 g de **massa folhada** descongelada
farinha de trigo para polvilhar
150 g de **gorgonzola** picado
sal e **pimenta-do-reino**

Derreta a manteiga em uma frigideira, coloque a cebola, o alho e o tomilho e refogue em fogo médio, mexendo de vez em quando, por 20-25 minutos, até ficarem macios e dourados. Junte as nozes. Deixe esfriar.

Abra a massa em uma assadeira com a superfície levemente polvilhada, formando um retângulo de 40 x 20 cm, acertando as beiradas. Corte o retângulo ao meio na vertical e depois horizontalmente, formando 8 quadrados de 10 cm.

Coloque a mistura da cebola no centro dos quadrados, deixando uma margem estreita. Espalhe o gorgonzola por cima. Coloque as tortinhas em uma assadeira grande e asse em forno preaquecido a 220°C por 12-15 minutos, até dourarem. Deixe esfriar um pouco e sirva quente.

Variação: torta de queijo de cabra e cebola. Abra a massa em uma assadeira. Não corte. Espalhe a mistura de cebola por toda a massa, deixando uma beirada de 1 cm. Espalhe 200 g de queijo de cabra macio picado e asse por 20-25 minutos, até a massa crescer e dourar.

prato principal

curry de ervilha e tofu

4 porções
Preparo: **15 minutos**
Cozimento: **25 minutos**

1 colher (sopa) de **óleo de girassol**
1 colher (sopa) de **pasta de curry vermelho**
500 g de **abóbora** descascada sem sementes em cubos
450 ml de **caldo de legumes**
400 ml de **leite de coco**
6 **folhas de coentro**, mais um pouco para servir
200 g de **ervilhas congeladas**
300 g de **tofu** firme em cubos
2 colheres (sopa) de **shoyu light**
suco de 1 **limão**
coentro fresco picado para enfeitar
pimenta vemelha picada para enfeitar

Aqueça o óleo em uma wok ou frigideira funda, coloque a pasta de curry e frite em fogo baixo por 1 minuto. Junte a abóbora, frite rapidamente e acrescente o caldo de legumes, o leite de coco e as folhas de coentro. Deixe ferver, tampe, diminua o fogo e cozinhe por 15 minutos, até a abóbora ficar macia.

Acrescente as ervilhas, o tofu, o shoyu e o suco de limão e deixe cozinhar por mais 5 minutos, até as ervilhas amolecerem. Sirva em tigelas individuais, enfeitando com as folhas de coentro.

Variação: curry de legumes verde. Use pasta de curry verde em vez da vermelha. Substitua a abóbora por 1 cenoura, 1 abobrinha e 1 pimentão vermelho limpo e sem sementes, todos fatiados, e continue como indicado na receita acima.

cuscuz com legumes grelhados

4 porções
Preparo: **20 minutos**
Cozimento: **16-20 minutos**

1 **berinjela** grande
2 **abobrinhas**
2 **pimentões vermelhos** limpos e sem sementes em quartos
4 colheres (sopa) de **azeite**
200 g de **sêmola de trigo pré-cozida (cuscuz marroquino)**
450 ml de **caldo de legumes** fervente
50 g de **manteiga**
2 colheres (sopa) de **ervas picadas**, como hortelã, coentro e salsa
suco de 1 **limão-siciliano**
sal e **pimenta-do-reino**

Para o molho de coalhada e tahine

125 g de **coalhada**
1 colher (sopa) de **tahine** (p. 13)
1 **dente de alho** amassado
½ colher (sopa) de **suco de limão-siciliano**
1 colher (sopa) de **azeite extravirgem**

Corte a berinjela e as abobrinhas em fatias de 5 mm e coloque em uma tigela grande junto com os pimentões vermelhos. Tempere com o azeite, sal e pimenta e mexa bem.

Aqueça uma panela de fundo estriado. Coloque os legumes aos poucos e refogue por 3-4 minutos de cada lado, dependendo do tamanho, até ficarem macios e tostados.

Coloque o cuscuz em um refratário. Junte o caldo fervente, cubra e deixe de molho por 5 minutos. Mexa os grãos com um garfo e acrescente a manteiga, as ervas, o suco de limão, sal e pimenta a gosto.

Prepare o molho de coalhada e tahine. Misture todos os ingredientes em uma tigela e tempere com sal e pimenta. Sirva com o cuscuz e os legumes.

Variação: maionese de alho. Em lugar do molho de coalhada e tahine, amasse 1-2 dentes de alho e misture com 150 g de maionese. Sirva com os legumes e o cuscuz.

pimentões assados recheados

2 porções
Preparo: **10 minutos**
Cozimento: **55 minutos-1 hora**

- 4 **pimentões vermelhos** grandes
- 2 **dentes de alho** amassados
- 1 colher (sopa) de **tomilho**, mais um pouco para enfeitar
- 4 **tomates** cortados ao meio
- 4 colheres (sopa) de **azeite extravirgem**
- 2 colheres (sopa) de **vinagre balsâmico**
- **sal** e **pimenta-do-reino**

Corte os pimentões ao meio pelo comprimento e limpe. Coloque em uma assadeira forrada com papel-alumínio, com o lado cortado para cima. Espalhe o alho e o tomilho, e tempere com sal e pimenta.

Coloque uma metade de tomate em cada pimentão e regue com azeite e vinagre balsâmico. Asse em forno preaquecido a 220°C por 55 minutos-1 hora, até os pimentões ficarem macios e tostados.

Sirva com pão crocante e uma salada de folhas, se desejar.

Variação: pimentões assados com queijo. Use pimentões vermelhos, verdes e amarelos. Depois de assar por 45 minutos, coloque em cada pimentão uma fatia de mussarela e deixe no forno por mais 10-15 minutos. Sirva com pedaços de pão integral.

risoto com brie

4 porções
Preparo: **15 minutos**
Cozimento: **35 minutos**

1,2 litro de **caldo de legumes**
50 g de **manteiga**
1 **cebola** grande fatiada
2 **dentes de alho** amassados
300 g de **arroz arbório**
150 ml de **vinho branco seco**
350 g de **ervilhas** frescas ou congeladas
½ maço de **hortelã** fresca
50 g de **queijo brie** em pedaços
sal e **pimenta-do-reino**
parmesão ralado na hora para servir

Coloque o caldo em uma panela e deixe cozinhar em fogo bem baixo.

Enquanto isso, derreta a manteiga em outra panela, coloque a cebola, o alho, sal e pimenta e refogue em fogo baixo, mexendo de vez em quando, por 10 minutos, até a cebola ficar macia mas não corada. Junte o arroz e refogue, sempre mexendo, por 1 minuto, até os grãos ficarem brilhantes. Adicione o vinho e deixe ferver por 1-2 minutos, até ser inteiramente absorvido. Acrescente as ervilhas.

Coloque cerca de 150 ml do caldo no arroz. Cozinhe em fogo médio, mexendo de vez em quando, até absorver o caldo. Continue colocando mais caldo, aos poucos, e cozinhe, mexendo, por cerca de 20 minutos, até o arroz ficar *al dente* e o caldo ter sido inteiramente absorvido.

Tire a panela do fogo. Espalhe as folhas de hortelã e o brie, tampe e deixe descansar por 5 minutos, até o queijo derreter. Sirva com parmesão ralado.

Variação: bolinhos de arroz. Deixe o risoto esfriar completamente, misture um ovo batido. Divida a mistura em bolinhos pequenos e cubra com cascas de pão. Aqueça um pouco de óleo de milho em uma frigideira e frite os bolinhos por 2-3 minutos de cada lado, até ficarem dourados e cozidos. Sirva com salada verde.

espaguete com favas

4 porções
Preparo: **10 minutos**
Cozimento: **15-18 minutos**

450 g de **espaguete**
350 g de **favas** frescas ou congeladas
4 colheres (sopa) de **azeite extravirgem**
3 **dentes de alho** picados
uma pitada de **pimenta seca em flocos**
raspas e suco de 1 **limão-siciliano**
2 colheres (sopa) de **folhas de manjericão**
sal e **pimenta-do-reino**
parmesão ou **pecorino** ralado na hora para servir (opcional)

Cozinhe o macarrão em uma panela grande com água fervente com sal por 10-12 minutos, ou siga as instruções da embalagem, até ficar *al dente*. Escorra, reserve 4 colheres (sopa) da água do cozimento e devolva o macarrão à panela.

Enquanto isso, cozinhe as favas em outra panela com água fervente salgada por 3-4 minutos. Escorra bem.

Enquanto o macarrão e as favas estão cozinhando, aqueça o azeite em uma frigideira, coloque o alho, as pimentas, as raspas de limão e sal e refogue em fogo baixo, mexendo por 3-4 minutos, até o alho ficar macio mas não marrom.

Misture o macarrão, as favas e a mistura de alho e pimenta com a água reservada, o suco de limão e folhas de manjericão e refogue em fogo médio até aquecer inteiramente. Sirva com parmesão ou pecorino ralado.

Variação: espaguete com ervilha e hortelã. Substitua as favas por ervilhas frescas e cozinhe de acordo com a receita acima, acrescentando 2 colheres (sopa) de hortelã picada em vez de manjericão pouco antes de servir. Você também pode usar ervilhas congeladas em vez de frescas.

linguiça de alho-poró com relish

4 porções
Preparo: **25 minutos**, mais tempo para a demolha e o resfriamento
Cozimento: **45-50 minutos**

1 colher (sopa) de **azeite**
1 **alho-poró** picado
2 colheres (sopa) de **tomilho**
150 g de **cheddar** ralado
150 g de **cascas de pão integral fresco**
100 g de **ricota**
1 colher (sopa) de **mostarda em grão**
1 **ovo** batido
50 g de **farinha de rosca**
óleo de girassol para fritar
sal e **pimenta-do-reino**

Para o relish
2 colheres (sopa) de **azeite**
2 **cebolas roxas** em fatias finas
50 g de **mirtilos secos** ou **uvas-passas**
1 colher (sopa) de **vinagre balsâmico**
100 g de **calda de mirtilo** ou de **frutas vermelhas**

Faça o relish primeiro. Aqueça o azeite em uma panela, junte as cebolas e refogue em fogo médio por 20-25 minutos, mexendo de vez em quando, até ficarem macias e douradas. Enquanto isso, deixe os mirtilos ou as uvas-passas de molho no vinagre balsâmico. Junte a cebola com a calda de mirtilo ou de frutas vermelhas e 2 colheres (sopa) de água e cozinhe por 10 minutos, até engrossar e ficar com consistência de geleia. Tempere com sal e pimenta e deixe esfriar.

Enquanto isso, aqueça o azeite em uma frigideira, coloque o alho-poró e o tomilho e refogue em fogo médio, mexendo sempre, por 5 minutos. Deixe esfriar.

Misture o cheddar, as cascas de pão fresco, a ricota, a mostarda, sal e pimenta com o alho-poró em uma tigela. Adicione o ovo e misture bem, formando uma massa macia. Molde 12 linguiças e passe-as na farinha de rosca.

Aqueça um pouco de óleo de girassol em uma frigideira e frite as linguiças em fogo médio por 10 minutos, virando sempre, até ficarem douradas e cozidas por inteiro. Sirva imediatamente com o relish.

Variação: hambúrgueres de alho-poró e tomilho com gorgonzola. Use gorgonzola em vez de queijo cheddar. Forme 8 hambúrgueres com a mistura, passe pela farinha de rosca e frite como indicado acima. Sirva em pão macio com alface picada e tomate fatiado.

torradas de berinjela com pesto

4 porções
Preparo: **15 minutos**
Cozimento: **8-20 minutos**

1 **berinjela** grande
4 colheres (sopa) de **azeite extravirgem**
4 fatias de **pão italiano**
2 **tomates-caquis** em fatias grossas
200 g de **mussarela fatiada**
sal e **pimenta-do-reino**

Para o pesto
50 g de **folhas de manjericão**
1 **dente de alho** amassado
4 colheres de **pinholes**
100 ml de **azeite extravirgem**
2 colheres de **parmesão** ralado na hora
sal e **pimenta-do-reino**

Faça primeiro o pesto. Coloque o manjericão, o alho, os pinholes, o azeite, sal e pimenta no processador e bata até ficar virar uma pasta. Passe para uma tigela, misture o parmesão e acerte o tempero. Reserve.

Corte a berinjela em fatias de 1 cm. Misture o azeite, sal e pimenta e passe nas fatias de berinjela. Aqueça uma panela de fundo estriado até ficar bem quente. Coloque as fatias de berinjela, aos poucos se necessário, e frite por 4-5 minutos de cada lado, até ficarem macias e tostadas.

Enquanto isso, toste as fatias de pão no forno.

Cubra cada fatia de pão com uma fatia de berinjela. Espalhe um pouco de pesto. Cubra com tomate e mussarela e mais pesto. Asse no forno preaquecido por 1-2 minutos, até começar a borbulhar e dourar.

Variação: torradas de berinjela e queijo derretido. Coloque as fatias de berinjela sobre torradas feitas com bengala de pão fatiada, com o pesto, tomate fatiado e mussarela. Leve ao forno para dourar. Cubra cada uma com um ovo poché e sirva imediatamente.

risoto de beterraba

4-6 porções
Preparo: **15 minutos**
Cozimento: **35 minutos**

1,2 litro de **caldo de legumes**
350 g de **beterraba** cozida
4 colheres (sopa) de **azeite extravirgem**
1 **cebola roxa** picada
2 **dentes de alho** amassados
2 colheres (chá) de **tomilho**, mais um pouco para enfeitar
300 g de **arroz arbório**
125 ml de **vinho tinto**
100 g de **queijo de cabra** macio em cubos
100 g de **nozes-pecãs** assadas e picadas
rúcula para acompanhar
sal e **pimenta-do-reino**

Coloque o caldo com um pouco do sumo da beterraba em uma panela e deixe cozinhar devagar.

Enquanto isso, aqueça o azeite em outra panela, coloque a cebola, o alho, o tomilho, sal e pimenta e cozinhe em fogo baixo por 10 minutos, mexendo de vez em quando, até a cebola ficar macia mas não dourada. Junte o arroz e refogue, mexendo, por 1 minuto, até os grãos ficarem brilhantes. Adicione o vinho e ferva por 1-2 minutos, até absorver o vinho. Junte a beterraba.

Acrescente 150 ml do caldo ao arroz. Cozinhe em fogo médio, mexendo sempre, até absorver o líquido. Acrescente o caldo restante, um pouco por vez, e cozinhe por cerca de 20 minutos, mexendo sempre, até o arroz ficar *al dente* e o caldo ter sido inteiramente absorvido.

Tire a panela do fogo. Acrescente o queijo de cabra e as nozes-pecãs, cubra e deixe descansar por cerca de 2-3 minutos, até o queijo derreter. Sirva com salada de rúcula.

Variação: risoto de beterraba e mascarpone com pinholes. Substitua o queijo de cabra por 150 g de mascarpone. Polvilhe o risoto com pinholes – cerca de 1 colher (sopa) por porção –, em lugar das nozes-pecãs.

lasanha de espinafre e champignon

6-8 porções
Preparo: **35 minutos**, mais o tempo de infusão
Cozimento: **45-50 minutos**

4 colheres (sopa) de **azeite**
2 **dentes de alho** amassados
2 colheres (chá) de **tomilho**
500 g de **champignons** fatiados
500 g de **espinafre** cozido
óleo para borrifar
200 g de **massa de lasanha** fresca
sal e **pimenta-do-reino**

Para o molho de queijo
1,2 litro de **leite**
2 folhas de **louro**
50 g de **manteiga sem sal**, mais um pouco para untar
50 g de **farinha de trigo**
250 g de **queijo cheddar** ralado

Faça o molho. Aqueça o leite com as folhas de louro em uma panela até ferver. Tire do fogo, cubra e deixe descansar por 20 minutos. Retire as folhas de louro.

Derreta a manteiga em outra panela, coloque a farinha e refogue em fogo médio por 1 minuto, mexendo sempre. Junte o leite aos poucos, sobre o fogo, mexendo sempre, até a mistura ferver. Diminua o fogo e deixe cozinhar por 2 minutos. Tire do fogo, coloque quase todo o queijo e mexa até derreter.

Enquanto isso, aqueça o azeite em uma frigideira, coloque o alho, o tomilho, os champignons, sal e pimenta e refogue em fogo baixo, mexendo sempre, por 5 minutos. Esprema o espinafre para retirar o excesso de água e pique. Acrescente à mistura de champignon. Tire do fogo.

Borrife uma travessa para lasanha de 2,5 litros com óleo. Espalhe ¼ do molho de queijo, acrescente ⅓ da mistura de champignons e espinafre e cubra com uma folha de lasanha. Repita as camadas mais duas vezes. Cubra a lasanha com uma última camada de molho e espalhe o queijo restante. Cozinhe em forno preaquecido a 190°C por 35-40 minutos, até dourar.

Variação: lasanha com champignon, tomate e feijão-verde. Substitua o espinafre por um molho de tomate (p. 100). Junte 450 g de feijão-verde cozido e escorrido à mistura de champignon e alterne as camadas com o molho de tomate, folhas de lasanha e molho de queijo; asse como indicado acima.

omelete com tomate e manjericão

4 porções
Preparo: **10 minutos**
Cozimento: **16-20 minutos**

4 colheres (sopa) de **azeite extravirgem**
500 g de **tomates-cereja** cortados ao meio
folhas de **manjericão** picadas
12 **ovos**
2 colheres (sopa) de **mostarda em grão**
50 g de **manteiga**
100 g de **queijo de cabra** macio em cubos
sal e **pimenta-do-reino**
agrião para enfeitar

Aqueça o azeite em uma frigideira grande, coloque os tomates, aos poucos se necessário, e refogue delicadamente por 2-3 minutos, mexendo até ficarem macios. Junte o manjericão, sal e pimenta. Passe para uma tigela e mantenha aquecido em forno moderado.

Bata os ovos, a mostarda, sal e pimenta em outra tigela. Derreta ¼ da manteiga em uma omeleteira ou frigideira pequena. Assim que parar de borbulhar, adicione ¼ da mistura de ovos e cozinhe em fogo médio, uniformizando a superfície com um garfo.

Espalhe ¼ do queijo de cabra sobre metade da omelete assim que estiver cozida por baixo, mas ainda meio mole no meio, e cozinhe por mais 30 segundos. Coloque a omelete cuidadosamente em um prato de servir, dobrando-a no meio. Mantenha aquecida no forno. Repita com o restante da mistura para fazer mais três omeletes.

Enfeite as omeletes com agrião e sirva com os tomates e salada verde.

Variação: omelete recheada de tomate. Ignore o primeiro passo da receita acima. Coloque ¼ dos tomates com o queijo de cabra em metade da omelete assim que estiver cozida por baixo. Siga a receita acima e sirva com salada de rúcula.

kebab de legumes com pilaf

4 porções
Preparo: **20 minutos**, mais o tempo da marinada e de descanso
Cozimento: **25 minutos**

1 colher (sopa) de **alecrim**
5 colheres (sopa) de **azeite extravirgem**
2 **abobrinhas**
1 **pimentão vermelho** grande sem sementes
16 **champignons**
8 **tomates-cereja**
8 **espetinhos de madeira**
coalhada para servir
sal e **pimenta-do-reino**

Para o pilaf
250 g de **arroz basmati**
1 **cebola** picada
2 **dentes de alho** picados
6 **bagas de cardamomo** amassadas
100 g de **mirtilos secos** ou **uvas-passas**
50 g de **pistaches** tostados picados
2 colheres (sopa) de **coentro fresco**
sal e **pimenta-do-reino**

Misture o alecrim com 2 colheres (sopa) do azeite, sal e pimenta em uma tigela grande. Corte as abobrinhas e o pimentão em pedaços grandes, junte ao azeite com os champignons e tomates e misture bem. Cubra e deixe marinar.

Lave o arroz em água corrente, escorra e coloque em uma panela. Acrescente água ligeiramente salgada para cobrir o arroz em pelo menos 5 cm. Deixe ferver por 10 minutos. Escorra bem.

Aqueça o restante do azeite em outra panela, coloque a cebola, o alho, o cardamomo e refogue em fogo médio por 5 minutos, mexendo até ficar ligeiramente dourado. Junte o arroz, os mirtilos, os pistaches, o coentro, sal e pimenta. Mexa bem, retire do fogo, cubra e deixe descansar por 10 minutos.

Enquanto isso, aqueça um panela de fundo estriado até ficar bem quente. Coloque os legumes alternadamente em 8 palitos de madeira, que devem ficar de molho em água por 30 minutos antes de serem usados. Coloque na panela e refogue, virando sempre, por 10 minutos, até os legumes ficarem tenros. Sirva com o arroz e a coalhada.

Variação: pilaf com temperos variados. Cozinhe o arroz como indicado acima, acrescentando ¼ de colher (chá) de açafrão à água. Refogue 1 cebola picada, 2 dentes de alho amassados, 1 pau de canela e 6 cravos em 50 g de manteiga por 5 minutos. Junte ao arroz cozido e mexa delicadamente. Tire do fogo, cubra e deixe descansar por 10 minutos.

risoto asiático

4 porções
Preparo: **15 minutos**
Cozimento: **25 minutos**

1,2 litro de **caldo de legumes**
1 colher (sopa) de **shoyu**
2 colheres (sopa) de **mirin**
3 colheres (sopa) de **óleo de girassol**
1 colher (sopa) de **azeite**
1 maço de **cebolinha** bem picada
2 **dentes de alho** picados
2,5 cm de **gengibre** ralado
375 g de **arroz arbório**
1 colher (sopa) de **raspas de limão**
250 g de **shitake**
15 g de **coentro fresco** picado, mais alguns ramos para enfeitar

Coloque o caldo, o shoyu e o mirin em uma panela e deixe cozinhar lentamente.

Enquanto isso, aqueça 2 colheres (sopa) do óleo de girassol com o azeite em outra panela, coloque a cebolinha, o alho e o gengibre e refogue em fogo alto por 1 minuto, sem parar de mexer. Junte o arroz e as raspas de limão e cozinhe em fogo baixo por 1 minuto, mexendo até os grãos ficarem brilhantes.

Coloque 150 ml do caldo no arroz. Cozinhe em fogo médio, mexendo, até ser totalmente absorvido. Junte o caldo aos poucos, misture e deixe reduzir até ficar apenas uma concha do caldo.

Enquanto o risoto cozinha, limpe e corte alguns cogumelos em fatias bem finas, descartando os talos, e guarde alguns inteiros. Aqueça o restante do óleo em uma frigideira, coloque os shitakes e refogue em fogo médio por 5 minutos, mexendo até dourar.

Junte o coentro ao risoto com os shitakes e o restante do caldo. Cozinhe, mexendo, até que o caldo seja absorvido e o arroz esteja *al dente*. Sirva enfeitado com os shitakes inteiros e os ramos de coentro.

Variação: risoto italiano. Ignore o shoyu, o mirin, o azeite e o gengibre, usando champignons em vez do shitake. Acrescente 100 g de mascarpone e 4 colheres (sopa) de parmesão ralado no final do cozimento e deixe descansar por 5 minutos antes de servir.

tofu refogado com ervilha-torta

4 porções
Preparo: **20 minutos**
Cozimento: **6 minutos**

2 colheres (sopa) de **óleo de girassol**
350 g de **tofu** bem firme em cubos
5 cm de **gengibre** ralado
2 **dentes de alho** picados
250 g de **brócolis** limpo
250 g de **ervilha-torta** limpa
150 ml de **caldo de legumes**
2 colheres (sopa) de **molho de pimenta suave**
2 colheres (sopa) de **shoyu**
1 colher (sopa) de **suco de limão**
2 colheres (sopa) de **açúcar mascavo**
folhas de **manjericão**
arroz ou **macarrão japonês** para acompanhar

Aqueça o óleo em uma wok ou frigideira funda até começar a sair fumaça, coloque o tofu e frite por 2-3 minutos, até dourar. Retire com a escumadeira.

Coloque o restante de óleo na frigideira, junte o gengibre a o alho e refogue por 10 segundos. Adicione o brócolis e a ervilha-torta e refogue por mais 1 minuto.

Recoloque o tofu na frigideira e junte o caldo, o molho de pimenta, o shoyu, o suco de limão e o açúcar. Refogue por 1 minuto, até os legumes ficarem cozidos mas crocantes. Coloque as folhas de manjericão e mexa bem. Sirva imediatamente com arroz ou macarrão japonês.

Variação: tofu com legumes e molho de ostra. Cozinhe o tofu e os legumes como indicado acima. Recoloque o tofu na frigideira, junte 50 ml de água e cozinhe por 1 minuto. Acrescente 75 ml de molho de ostra e cozinhe por mais 1 minuto. Dispense as folhas de manjericão e enfeite com coentro fresco picado.

canelones de espinafre e ricota

4 porções
Preparo: **25 minutos**
Cozimento: **35 minutos**

500 g de **folhas de espinafre** cozidas
300 g de **ricota**
1 **dente de alho** amassado
2 colheres (sopa) de **creme de leite**
uma pitada de **noz-moscada** ralada na hora
16 folhas de **massa para canelone**
óleo para borrifar
25 g de **parmesão** ralado na hora
sal e **pimenta-do-reino**

Para o molho de tomate
500 g de **tomates** maduros picados
1 **dente de alho** amassado
75 g de **azeitonas pretas** picadas
2 colheres (sopa) de **alcaparras** escorridas
1 colher (sopa) de **salsa** picada
2 colheres (sopa) de **azeite extravirgem**

Esprema o espinafre para retirar o excesso de água e coloque em uma tigela. Junte a ricota, o alho, o creme de leite, a noz-moscada, sal e pimenta e misture bem.

Cozinhe a massa de canelone em uma panela grande com água fervente por 5 minutos, até ficar *al dente*. Escorra imediatamente em água fria corrente. Seque em papel-toalha.

Borrife levemente quatro refratários individuais com óleo. Coloque 2 colheres (sopa) da mistura de espinafre e ricota em um lado da massa e enrole, formando tubos. Divida entre os refratários.

Misture todos os ingredientes do molho em uma tigela, coloque sobre o canelone. Espalhe o parmesão ralado. Cubra os refratários com papel-alumínio e cozinhe em forno preaquecido a 200°C por 20 minutos. Retire o papel e cozinhe por mais 10 minutos, até dourar e borbulhar. Sirva imediatamente.

Variação: canelones de abóbora e ricota. Cozinhe 500 g de abóbora bem picada por 10-12 minutos, até amolecer. Deixe esfriar completamente antes de misturar com a ricota e os outros ingredientes do recheio. Continue a receita como indicado acima.

fritada de aspargos e tomate

4 porções
Preparo: **10 minutos**, mais o tempo de resfriamento
Cozimento: **cerca de 40 minutos**

3 colheres (sopa) de **azeite**, mais um pouco para untar
2 talos de **alho-poró** fatiados
1 **dente de alho** amassado
250 g de **aspargos** limpos
6 **ovos**
100 g de **queijo feta** ou **branco** em pedaços
4 colheres (sopa) de **parmesão** ralado na hora
175 g de **tomates-cereja**
sal e **pimenta-do-reino**

Aqueça o azeite em uma frigideira, coloque o alho-poró e o alho e refogue em fogo médio por 10 minutos, mexendo até ficarem macios. Deixe esfriar.

Cozinhe os aspargos em uma panela grande com água fervente levemente salgada por 2 minutos. Escorra, passe em água corrente e seque em papel-toalha. Corte em pedaços de 5 cm.

Unte uma assadeira quadrada de 20 cm e forre com papel-manteiga. Bata os ovos em uma tigela e junte a mistura de alho-poró, os aspargos, o queijo feta, metade do parmesão, sal e pimenta. Coloque a mistura na assadeira e cubra com os tomates. Salpique o restante do parmesão e cozinhe em forno preaquecido a 190°C por 25-30 minutos, até crescer e ficar firme no centro.

Deixe esfriar por 10 minutos, vire a assadeira sobre uma travessa e sirva quente com uma salada verde.

Variação: fritada de champignons. Refogue o alho-poró e o alho como indicado acima com 2 colheres (chá) de tomilho. Junte 350 g de champignons picados e refogue por mais 5 minutos. Ignore os aspargos e misture os champignons com 6 ovos batidos e 50 g de parmesão, 2 colheres (sopa) de salsa picada, sal e pimenta. Cozinhe no forno como indicado acima.

caril de grão-de-bico e castanha-de-caju

4-6 porções
Preparo: **20 minutos**
Cozimento: **1 hora**

4 colheres (sopa) de **óleo de milho**
1 **cebola** fatiada
2 **dentes de alho** amassados
2 colheres (chá) de **gengibre** ralado na hora
2 colheres (chá) de **coentro** em pó
1 colher (chá) de **cominho** em pó
½ colher (chá) de **cúrcuma**
½ colher (chá) de **canela**
¼-½ colher (chá) de **pimenta em pó**
4 **tomates** maduros picados
300 ml de **água**
500 g de **batata** em cubos
400 g de **grão-de-bico** cozido escorrido
250 g de **champignons** limpos
75 g de **castanhas-de-caju sem sal**
2 colheres (sopa) de **coentro fresco** picado
150 ml de **iogurte natural**
sal e **pimenta-do-reino**

Aqueça metade do óleo em uma panela grande, coloque a cebola, o alho, o gengibre, os temperos, sal e pimenta e refogue em fogo baixo por 10 minutos, mexendo de vez em quando, até a cebola ficar macia.

Junte os tomates e a água. Quando ferver, diminua o fogo, tampe e cozinhe por 15 minutos. Acrescente a batata e o grão-de-bico, tampe e cozinhe por mais 20 minutos.

Enquanto isso, aqueça o restante do óleo em uma frigideira, coloque os champignons e refogue em fogo médio, mexendo sempre, por 3-4 minutos, até dourar.

Junte os champignons ao caril com as castanhas-de-caju e o coentro fresco e cozinhe por mais 10 minutos. Misture o iogurte e esquente sem deixar ferver. Sirva com arroz.

Variação: caril de tomate e berinjela. Refogue a cebola, o alho, o gengibre e os temperos como indicado acima e acrescente 400 g de tomate em lata picado. Enquanto isso, aqueça 3 colheres (sopa) de óleo de milho em uma frigideira grande, coloque uma berinjela grande picada e cozinhe em fogo médio por 5-6 minutos, mexendo até dourar. Misture o grão-de-bico e continue como na receita acima.

torta de abóbora e cebola

8 porções
Preparo: **25 minutos**, mais o tempo de resfriamento
Cozimento: **45-55 minutos**

50 g de **manteiga**
750 g de **cebola** bem fatiada
2 **dentes de alho** picados
1 colher (sopa) de **sálvia** picada
1 kg de **abóbora** sem casca nem sementes
1 colher (sopa) de **azeite**
2 pacotes de 350 g de **massa folhada** descongelada
farinha de trigo para polvilhar
250 g de **queijo fontina** fatiado
1 **ovo** batido
sal e **pimenta-do-reino**

Derreta a manteiga em uma frigideira, coloque a cebola, o alho, a sálvia, sal e pimenta e refogue em fogo médio por 20-25 minutos, mexendo de vez em quando, até dourar. Deixe esfriar.

Corte a abóbora em fatias de 5 mm e pincele com azeite. Aqueça uma panela de fundo estriado até ficar bem quente. Coloque a abóbora aos poucos e cozinhe por 2-3 minutos de cada lado, até amolecer. Deixe esfriar.

Abra uma massa folhada em uma superfície polvilhada com farinha formando um retângulo um pouco menor do que a assadeira. Coloque na assadeira. Espalhe metade da mistura de cebola, deixando 2,5 cm de margem. Cubra com metade da abóbora e metade do queijo. Repita as camadas, temperando com sal e pimenta.

Estenda a outra massa folhada em tamanho um pouco maior do que a anterior. Pincele em torno do recheio com o ovo batido e cubra com a segunda massa folhada. Pressione as margens para fechar, decore com as marcas de um garfo. Pincele com o ovo batido e use pedaços de massa para escorar.

Asse em forno preaquecido a 220°C por 25-30 minutos, até estufar e dourar. Deixe esfriar um pouco, corte em pedaços e sirva quente.

Variação: torta de abóbora com massa filo. Coloque 4 folhas de massa filo em uma assadeira de 20 x 30 cm, pincelando cada uma com manteiga derretida. Faça camadas com os ingredientes como indicado acima, cubra com outras 4 folhas de massa filo, pincelando cada uma com manteiga. Asse por 30 minutos até dourar.

sopas e cozidos

sopa de lentilha e curry

4 porções
Preparo: **15 minutos**
Cozimento: **35 minutos**

2 colheres (sopa) de azeite
1 **cebola** picada
1 **dente de alho** amassado
500 g de **cenoura** picada
1 **batata** em pedaços
1 colher (sopa) de **pasta de curry**
150 g de **lentilha** lavada
1 litro de **caldo de legumes**
1 colher (sopa) de **coentro fresco** picado
sal e **pimenta-do-reino**

Para o azeite com limão
4 colheres (sopa) de **azeite extravirgem**
raspas e suco de 1 **limão**

Aqueça o azeite em uma panela, coloque a cebola e o alho e refogue em fogo médio por 5 minutos, mexendo sem parar. Junte a cenoura, a batata e a pasta de curry, misture bem e adicione os outros ingredientes. Deixe ferver, diminua o fogo, tampe e deixe cozinhar por 25 minutos.

Bata no processador ou liquidificador até ficar bem macio. Recoloque na panela e aqueça.

Coloque em uma tigela o azeite, as raspas e o suco de 1 limão. Misture bem.

Distribua a sopa em tigelas para servir, regue com o azeite com limão e sirva com torradas.

Variação: sopa de tomate e cenoura picante. Substitua a batata por 400 g de tomate em lata picado e junte à sopa de lentilha. Misture ½ colher (chá) de açúcar e continue como indicado acima.

sopa de cogumelos

6 porções
Preparo: **15 minutos**, mais o tempo de resfriamento e demolha
Cozimento: **40 minutos**

1 colher (sopa) de **cogumelos porcini desidratados**
4 colheres (sopa) de **água fervente**
75 g de **manteiga**
2 **cebolas** picadas
2 **dentes de alho** amassados
2 colheres (sopa) de **tomilho**
1 kg de **champignon** limpo e picado
1 litro de **caldo de legumes**
250 ml de **creme de leite**, mais um pouco para servir
sal e **pimenta-do-reino**
cebolinha picada para enfeitar

Para a manteiga com trufas
150 g de **manteiga** em temperatura ambiente
2 colheres (chá) de **pasta de trufas**

Faça primeiro a manteiga de trufas. Coloque a manteiga e a pasta de trufas em uma tigela e misture bem. Forme um rolo, embrulhe com filme de PVC e coloque no congelador por 30 minutos. Corte em fatias.

Deixe o porcini de molho na água por 15 minutos. Escorra bem, reserve o líquido do molho e pique.

Derreta metade da manteiga em uma panela, coloque a cebola, o alho, o tomilho e refogue em fogo baixo por 10 minutos, mexendo de vez em quando. Junte o restante da manteiga, o champignon e o porcini e cozinhe em fogo médio por 5 minutos, mexendo até os cogumelos ficarem tenros. Adicione o caldo de legumes e a água reservada e deixe ferver, diminua o fogo, cubra e deixe cozinhar por 20 minutos.

Passe para o processador ou liquidificador e bata até ficar bem macio. Recoloque na panela, junte o creme de leite e aqueça sem ferver. Coloque a sopa em tigelas para servir, cobrindo cada uma com fatias da manteiga trufada e a cebolinha picada.

Variação: sopa de cogumelos com nozes e tomilho. Substitua o creme de leite por leite e exclua a manteiga de trufas. Bata a sopa cozida, coloque nas tigelas e sirva com um filete de azeite. Enfeite com ramos de tomilho e nozes picadas.

sopa de feijão apimentada

3-4 porções
Preparo: **10 minutos**
Cozimento: **25 minutos**

2 colheres (sopa) de **azeite**
1 **cebola** picada
1 **dente de alho** amassado
1 colher (chá) de **pimenta vermelha em pó**
1 colher (chá) de **coentro** em pó
½ colher (chá) de **cominho** em pó
400 g de **feijão** cozido escorrido
400 g de **tomate** em lata picado
600 ml de **caldo de legumes**
12 pedaços de **tortilhas**
50 g de **queijo cheddar** picado
sal e **pimenta-do-reino**
iogurte natural para servir

Aqueça o azeite em uma panela, coloque a cebola, o alho, a pimenta vermelha em pó, o coentro e o cominho e cozinhe em fogo médio por 5 minutos, mexendo até a cebola amolecer. Junte o feijão, o tomate e o caldo e tempere com sal e pimenta-do-reino. Deixe ferver, diminua o fogo, tampe e deixe cozinhar por 15 minutos.

Passe para o processador ou liquidificador e bata até virar uma pasta. Coloque em tigelas refratárias.

Espalhe os pedaços de tortilha sobre a sopa e salpique o cheddar por cima. Cozinhe em forno preaquecido por 1-2 minutos, até o queijo derreter. Sirva imediatamente com iogurte natural.

Variação: sopa de feijão apimentada com cobertura light. Dispense as tortilhas e o cheddar. Divida 3 pães sírios e asse em forno preaquecido até ficarem tostados dos dois lados. Deixe esfriar um pouco e corte em triângulos com uma tesoura de cozinha. Sirva com a sopa e iogurte natural desnatado em vez do iogurte natural.

sopa de abóbora com molho de azeitona

6 porções
Preparo: **20 minutos**
Cozimento: **40 minutos**

4 colheres (sopa) de **azeite**
1 **cebola** grande picada
2 **dentes de alho** amassados
1 colher (sopa) de **sálvia** picada
1 kg de **abóbora** sem casca nem sementes em cubos
400 g de **feijão-branco** cozido escorrido
1 litro de **caldo de legumes**
sal e **pimenta-do-reino**

Para o molho de azeitona
100 g de **azeitonas pretas** sem caroço
3 colheres (sopa) de **azeite extravirgem**
raspas de **1 limão-siciliano**
2 colheres (sopa) de **salsa** picada

Aqueça o azeite em uma panela, coloque a cebola, o alho, a sálvia e refogue em fogo baixo por 5 minutos, mexendo sempre. Junte a abóbora e o feijão, mexa bem e acrescente o caldo e um pouco de sal e pimenta.

Deixe ferver, diminua o fogo, tampe e cozinhe por 30 minutos, até a abóbora amolecer. Bata a sopa no processador ou liquidificador. Recoloque na panela, acerte o tempero e aqueça.

Enquanto isso, faça o molho. Pique as azeitonas e misture com o azeite, as raspas de limão, a salsa, sal e pimenta em uma tigela.

Sirva a sopa em tigelas aquecidas cobertas com uma colherada do molho.

Variação: sopa de abóbora pescoçuda. Use a mesma quantidade da abóbora comum. Misture os pedaços da abóbora com 1 colher (sopa) de azeite e asse em forno preaquecido a 200°C por 30 minutos, até dourar e ficar macia. Continue como indicado na receita acima, mas cozinhe a sopa por apenas 15 minutos.

sopa de rúcula, batata e ervilha

4-6 porções
Preparo: **15 minutos**
Cozimento: **35 minutos**

3 colheres (sopa) de **azeite extravirgem**, mais um pouco para servir
1 **cebola** bem picada
2 **dentes de alho** bem picados
2 colheres (chá) de **tomilho**
250 g de **batata** picada
500 g de **ervilha** fresca ou descongelada
1 litro de **caldo de legumes**
100 g de folhas de **rúcula** rasgadas
suco de 1 **limão-siciliano**
sal e **pimenta-do-reino**

Aqueça o azeite em uma panela, coloque a cebola, o alho e o tomilho e refogue em fogo baixo por 5 minutos, mexendo até a cebola ficar macia. Junte as batatas e cozinhe por 5 minutos, sem parar de mexer.

Coloque as ervilhas, o caldo, sal e pimenta. Deixe ferver, diminua o fogo, tampe e cozinhe por 20 minutos.

Passe a sopa para um processador ou liquidificador, junte a rúcula e o suco de limão e bata. Recoloque na panela, acerte o tempero e aqueça. Sirva imediatamente, regando com azeite.

Variação: sopa de aspargos com ervilha. Dispense as batatas e acrescente 250 g de aspargos. Corte as pontas e cozinhe no caldo por 3-5 minutos, até ficarem tenros. Escorra e reserve; reserve também o caldo. Corte o restante dos aspargos e junte à sopa com as ervilhas. Sirva enfeitada com as pontas.

sopa de inverno com cerveja

6 porções
Preparo: **20 minutos**
Cozimento: **50-55 minutos**

4 colheres (sopa) de **azeite**
1 **cebola** picada
2 **dentes de alho** amassados
1 colher (sopa) de **alecrim**
2 **cenouras** picadas
250 g de **erva-doce** picada
250 g de **nabo** picado
100 g de **cevada**
600 ml de **cerveja**
1 litro de **caldo de legumes**
2 colheres (sopa) de **salsa** picada
sal e **pimenta-do-reino**

Aqueça o azeite em uma panela grande, coloque a cebola, o alho, o alecrim, as cenouras, a erva-doce e o nabo e refogue em fogo baixo por 10 minutos, mexendo sempre.

Junte a cevada, a cerveja, o caldo, sal e pimenta e deixe ferver. Diminua o fogo, tampe e deixe cozinhar por 40-45 minutos, até a cevada e os legumes ficarem macios. Adicione a salsa e acerte o tempero. Sirva com torradas.

Variação: sopa de arroz e legumes. Dispense a cerveja e aumente o caldo para 1,5 litro. Substitua a cevada por igual quantidade de arroz. Use 250 g de aipo em vez da erva-doce. Continue a receita como indicado acima. Sirva a sopa enfeitada com salsa picada e pimenta-preta moída na hora.

sopa de batata-doce com coco

4 porções
Preparo: **15 minutos**
Cozimento: **30 minutos**

2 colheres (sopa) de **azeite**
1 **cebola** em fatias bem finas
2 **dentes de alho** amassados
1 colher (sopa) de **gengibre** ralado na hora
raspas e suco de 1 **limão**
1 **pimenta vermelha** sem sementes picada
750 g de **batata-doce** descascada e picada
600 ml de **caldo de legumes**
400 ml de **leite de coco**
150 g de folhas de **miniespinafre**
sal e **pimenta-do-reino**

Aqueça o azeite em uma panela, coloque a cebola, o alho, o gengibre, as raspas de limão e a pimenta e refogue em fogo brando por 5 minutos, mexendo até a cebola ficar macia. Junte a batata-doce e cozinhe por 5 minutos, mexendo sempre.

Coloque o caldo, o leite de coco, o suco de limão, sal e pimenta. Deixe ferver, diminua o fogo, tampe e cozinhe por 15 minutos, até as batatas ficarem macias.

Bata metade da sopa no processador ou liquidificador. Recoloque na panela, junte as folhas de espinafre e cozinhe até murcharem. Acerte o tempero e sirva imediatamente.

Variação: sopa cremosa de coco, abóbora e coentro. Substitua a batata-doce por abóbora sem casca e sem sementes picada. Cozinhe a sopa por 20 minutos, bata no processador ou liquidificador e acrescente 2 colheres (sopa) de coentro fresco em vez do espinafre. Termine como indicado acima.

sopa de feijão e macarrão

6 porções
Preparo: **15 minutos**
Cozimento: **35 minutos**

- 2 colheres (sopa) de **azeite extravirgem**
- 1 **cebola** picada
- 3 **dentes de alho** amassados
- 1 colher (sopa) de **alecrim**
- 800 g de **tomate em lata** picado
- 600 ml de **caldo de legumes**
- 400 g de **feijão-catarino** cozido escorrido
- 125 g de **macarrão** pequeno
- **sal** e **pimenta-do-reino**
- **parmesão ralado** para servir

Para o azeite de manjericão

- 25 g de **folhas de manjericão**
- 150 ml de **azeite extravirgem**

Aqueça o azeite em uma panela, coloque a cebola, o alho e o alecrim e refogue em fogo baixo por 5 minutos, mexendo até a cebola ficar macia.

Junte os tomates, o caldo, o feijão, sal e pimenta. Deixe ferver, diminua o fogo, cubra e cozinhe por 20 minutos. Adicione o macarrão e cozinhe, tampado, por mais 10 minutos, até o macarrão ficar *al dente*.

Enquanto isso, faça o azeite de manjericão. Mergulhe as folhas de manjericão em uma panela com água fervente e deixe ferver por 30 segundos. Escorra o manjericão, esfrie em água corrente e seque bem em papel-toalha. Bata o azeite e as folhas de manjericão no liquidificador.

Coloque a sopa em tigelas e regue com um pouco do azeite de manjericão. Sirva imediatamente, salpicadas com um pouco de parmesão ralado.

Variação: sopa de tomate picante e feijão mexicano. Substitua o alecrim por tomilho e o feijão-catarino por feijão-vermelho. Continue como indicado acima, retirando o macarrão e acrescentando 2 colheres (sopa) de molho de pimenta à sopa. Sirva a sopa coberta com iogurte natural.

macarrão oriental com champignon

4 porções
Preparo: **10 minutos**
Cozimento: **15 minutos**

300 g de **macarrão oriental**
1,5 litro de **caldo de legumes**
75 ml de **shoyu**
3 colheres (sopa) de **mirin**
350 g de **champignons**
4 **cebolinhas** limpas e fatiadas
300 g de **tofu macio** escorrido em pedaços

Cozinhe o macarrão segundo as instruções da embalagem. Escorra e passe em água corrente; reserve.

Misture o caldo, o shoyu e o mirin em uma panela e deixe ferver; diminua o fogo e cozinhe por 5 minutos. Junte os champignons e cozinhe por mais 5 minutos. Adicione a cebolinha e o tofu.

Enquanto isso, ferva uma chaleira com água. Com o escorredor sobre a pia, jogue a água fervente no macarrão. Divida o macarrão entre as tigelas de servir e acrescente o caldo. Sirva imediatamente.

Variação: macarrão oriental com legumes. Substitua os champignons por 125 g de brócolis em floretes, 125 g de ervilha-torta e 125 g de aspargos em pedaços pequenos. Cozinhe no caldo por 3 minutos e continue como indicado acima.

tagine de legumes com açafrão

4 porções
Preparo: **15 minutos**
Cozimento: **50 minutos**

100 ml de **óleo de girassol**
1 **cebola** grande picada
2 **dentes de alho** amassados
2 colheres (chá) de **coentro** em pó
2 colheres (chá) de **cominho** em pó
2 colheres (chá) de **canela**
400 g de **grão-de-bico** cozido escorrido
400 g de **tomate** em lata picado
600 ml de **caldo de legumes**
¼ de colher (chá) de **açafrão**
1 **berinjela** grande picada
250 g de **champignons** limpos cortados ao meio
100 g de **figos secos** picados
2 colheres (sopa) de **coentro fresco** picado
sal e **pimenta-do-reino**

Aqueça 2 colheres (sopa) do óleo em uma frigideira, coloque a cebola, o alho e os temperos e refogue em fogo médio por 5 minutos, mexendo até dourar. Com a escumadeira, passe para uma panela e junte o grão-de-bico, os tomates, o caldo e o açafrão. Tempere com sal e pimenta.

Aqueça o restante do óleo na frigideira, coloque a berinjela e refogue em fogo alto por 5 minutos, mexendo até dourar. Junte ao cozido e deixe levantar fervura; diminua o fogo, tampe e cozinhe por mais 20 minutos.

Junte os champignons e os figos e cozinhe sem tampa por mais 20 minutos. Adicione o coentro fresco e acerte o tempero. Sirva com cuscuz marroquino.

Variação: tagine de lentilha e legumes. Substitua a berinjela por 2 cenouras fatiadas e 2 batatas em cubos. Em vez do grão-de-bico, use 400 g de lentilha cozida e escorrida. Siga a receita acima e adicione damascos secos em vez dos figos.

goulash com bolinhos de cebolinha

4 porções
Preparo: **30 minutos**
Cozimento: **45 minutos**

4 colheres (sopa) de **azeite**
8 **minicebolas** descascadas
2 **dentes de alho** amassados
1 **cenoura** picada
1 talo grande de **salsão** fatiado
500 g de **batatas** em cubos
1 colher (chá) de sementes de **alcaravia**
1 colher (chá) de **páprica**
400 g de **tomate em lata** picado
450 ml de **caldo de legumes**
sal e **pimenta-do-reino**

Para os bolinhos de cebolinha
75 g de **farinha com fermento**
½ colher (chá) de **sal**
50 g de **gordura vegetal**
1 colher (sopa) de **cebolinha picada**
4-5 colheres (sopa) de **água**

Aqueça o azeite em uma panela grande, coloque as cebolas, o alho, a cenoura, o salsão, as batatas e a alcaravia e refogue em fogo médio por 10 minutos, mexendo sem parar. Junte a páprica e cozinhe por mais 1 minuto, sempre mexendo.

Adicione os tomates, o caldo, sal e pimenta. Deixe ferver, diminua o fogo, cubra e cozinhe por 20 minutos.

Faça os bolinhos. Coloque a farinha e o sal em uma tigela; misture com a gordura vegetal, a cebolinha e pimenta a gosto. Trabalhando com leveza e rapidez, coloque a água aos poucos até formar uma massa macia. Divida em 8 pedaços iguais, formando bolas.

Coloque os bolinhos cuidadosamente no cozido, deixando espaço entre eles, tampe e cozinhe por 15 minutos, até dobrarem de tamanho, ficando fofos e leves.

Variação: bolinhos de raiz-forte. Siga o método acima, usando 2 colheres (chá) de raiz-forte ralada na hora em vez das cebolinhas. Continue como indicado acima. Estes bolinhos ficam especialmente bons com beterraba: exclua os tomates, aumente o caldo para 600 ml e junte 275 g de beterraba cozida.

cozido de legumes à provençal

4 porções
Preparo: **15 minutos**
Cozimento: **55 minutos**

4 colheres (sopa) de **azeite extravirgem**, mais um pouco para regar
1 **cebola roxa** grande fatiada
4 **dentes de alho** picados
2 colheres (chá) de **coentro em pó**
1 colher (chá) de **tomilho** fresco picado
1 **erva-doce** limpa e fatiada
1 **pimentão vermelho** sem sementes fatiado
500 g de **tomates** maduros cortados
300 ml de **caldo de legumes**
125 g de **azeitonas pretas**
2 colheres (sopa) de **salsa** picada
fatias de **pão torrado**
sal e **pimenta-do-reino**

Aqueça o azeite em uma panela grande, coloque a cebola, o alho, o coentro e o tomilho e refogue em fogo médio por 5 minutos, mexendo até a cebola ficar tenra. Junte a erva-doce e o pimentão vermelho e cozinhe, mexendo, por mais 10 minutos.

Coloque os tomates, o caldo, sal e pimenta. Deixe ferver, diminua o fogo, tampe e cozinhe por 30 minutos. Adicione as azeitonas e a salsa e cozinhe, sem tampa, por mais 10 minutos.

Enquanto isso, aqueça uma panela com fundo estriado até ficar bem quente. Toste as fatias de pão dos dois lados. Regue com bastante azeite.

Sirva o cozido com esse pão torrado.

Variação: macarrão com molho provençal. Cozinhe 400 g de penne em uma panela grande com água fervente levemente salgada por 10-12 minutos, até ficar *al dente*, ou siga as instruções da embalagem. Escorra e cubra com o cozido de legumes, usado como molho.

caçarola de erva-doce e licor de anis

4 porções
Preparo: **15 minutos**
Cozimento: **cerca de 50 minutos**

2 **ervas-doces** limpas
4 colheres (sopa) de **azeite extravirgem**
1 **cebola** fatiada
2 **dentes de alho** amassados
2 colheres (sopa) de **alecrim**
sal e **pimenta-do-reino**
100 ml de **licor de anis**
400 g de **tomate em lata** picado
¼ de colher (chá) de **açafrão**
2 tiras de **casca de laranja**
2 colheres (sopa) de **talos de erva-doce** picados
polenta grelhada para servir (p. 170)

Corte a erva-doce pelo comprimento em fatias de 5 mm. Aqueça metade do azeite em uma caçarola refratária, coloque as fatias de erva-doce aos poucos e refogue em fogo médio por 3-4 minutos de cada lado, até dourar. Retire com a escumadeira.

Aqueça o restante do azeite na caçarola, coloque a cebola, o alho, o alecrim, sal e pimenta e refogue em fogo baixo, mexendo sempre, por 5 minutos. Junte o licor e deixe ferver até reduzir pela metade. Adicione o tomate, o açafrão, as tiras de casca de laranja e misture bem. Coloque as fatias de erva-doce por cima.

Deixe ferver, tampe bem a caçarola e asse em forno preaquecido a 180°C por 35 minutos, até a erva-doce ficar macia. Espalhe os ramos picados de erva-doce e sirva a caçarola quente com polenta grelhada.

Variação: erva-doce gratinada. Prepare a caçarola como indicado acima e passe para um refratário. Misture 125 g de farinha de rosca, 4 colheres (sopa) de parmesão ralado e 2 colheres (sopa) de salsa picada. Espalhe por cima da erva-doce e asse, sem cobrir, por 35 minutos.

feijão assado

4-6 porções
Preparo: **10 minutos**
Cozimento: **cerca de 2 horas**

800 g de **feijão-catarino** cozido escorrido
1 **dente de alho** amassado
1 **cebola** picada
450 ml de **caldo de legumes**
300 ml de **polpa de tomate**
2 colheres (sopa) de **melaço**
2 colheres (sopa) de **extrato de tomate**
2 colheres (sopa) de **açúcar mascavo**
1 colher (sopa) de **mostarda de Dijon**
1 colher (sopa) de **vinagre de vinho tinto**
sal e **pimenta-do-reino**

Coloque todos os ingredientes em uma caçarola refratária com um pouco de sal e pimenta. Coloque a tampa.

Leve ao forno preaquecido a 160°C por 1 hora e 30 minutos. Retire a tampa e asse por mais 30 minutos, até o molho engrossar. Sirva com torradas amanteigadas.

Variação: feijão assado com batata. Lave 4 batatas de cerca de 250 g cada uma, asse em forno preaquecido a 200°C por cerca de 1 hora, até ficarem bem cozidas. Corte ao meio pelo comprimento, tempere com sal e pimenta e coloque sobre o feijão. Rale um pouco de queijo cheddar por cima antes de servir. O feijão assado fica ainda melhor quando feito na véspera e aquecido antes de servir.

saladas e guarnições

salada de pêssego, abacate e tomate

4 porções
Preparo: **15 minutos**, mais o tempo de resfriamento
Cozimento: **20 minutos**

4 **tomates** fatiados
1 **abacate** sem caroço descascado e fatiado
250 g de **mussarela de búfala** fatiada
1 **pêssego** maduro fatiado
50 g de **azeitonas pretas** sem caroço
1 **pimenta vermelha** sem sementes bem picada
3 colheres (sopa) de **azeite extravirgem**, mais um pouco para regar
suco de 1 **limão**
1 colher (sopa) de **coentro fresco**
sal e **pimenta-do-reino**

Molho balsâmico
600 ml de **vinagre balsâmico**

Prepare primeiro o molho balsâmico. Coloque o vinagre em uma panela e deixe ferver. Diminua o fogo e cozinhe por 20 minutos, até reduzir a cerca de 150 ml. Deixe esfriar completamente.

Arrume os tomates, o abacate e a mussarela em uma travessa grande. Coloque o pêssego, as azeitonas, a pimenta, o azeite, o suco de limão, o coentro, sal e pimenta em uma tigela, misture bem e disponha sobre a salada.

Regue a salada com um pouco mais de azeite e o vinagre balsâmico e sirva.

Variação: salada italiana tricolor clássica. Disponha 4 tomates fatiados, 1 abacate fatiado, 250 g de mussarela de búfala e algumas folhas de manjericão rasgadas em uma travessa. Regue com um pouco de azeite extravirgem e vinagre de vinho branco, e tempere com sal e pimenta moída na hora.

salada de alho-poró e avelãs

4 porções
Preparo: **10 minutos**
Cozimento: **12-16 minutos**

500 g de **alho-poró** novinho
1-2 colheres de **óleo de avelã**
uma pitada de suco de **limão-siciliano**
40 g de **avelãs** escaldadas
2 **corações de alface-romana**
alguns **ramos de hortelã**
15 g de **queijo pecorino**
20 **azeitonas pretas**, para enfeitar
sal e **pimenta-do-reino**

Para o molho
4 colheres (sopa) de **óleo de avelã**
2 colheres (sopa) de **azeite extravirgem**
2 colheres (chá) de **vinagre de vinho tinto**
sal e **pimenta-do-reino**

Pincele o alho-poró com o óleo de avelã. Refogue em uma panela estriada preaquecida ou asse em forno bem quente preaquecido por 6-8 minutos, virando sempre, até ficarem dourados e cozidos por inteiro. Tempere com o suco de limão, sal e pimenta. Deixe esfriar.

Enquanto isso, aqueça uma frigideira de fundo grosso até ficar bem quente, coloque as avelãs e cozinhe em fogo médio por 3-4 minutos, mexendo até ficarem douradas. Deixe esfriar levemente e pique. Separe as folhas de alface e tire as folhas de hortelã dos ramos.

Disponha o alho-poró em tigelas ou pratos individuais e cubra com as folhas de alface, a hortelã e as avelãs. Misture todos os ingredientes do molho à parte, tempere com sal e pimenta e regue a salada. Espalhe lascas de pecorino sobre a salada e sirva enfeitada com as azeitonas.

Variação: salada de aspargos com pinholes. Substitua o alho-poró pela mesma quantidade de aspargos limpos. Pincele com azeite extravirgem em vez do óleo de avelã, cozinhe e tempere como na receita acima. Toste os pinholes em lugar das avelãs e use folhas de estragão em vez de hortelã. Para o molho, use 4 colheres (sopa) de azeite extravirgem, 2 colheres (sopa) de óleo de semente de uva, 2 colheres (chá) de vinagre de estragão e raspas de 1 limão-siciliano, reservando um pouco. Corte um pouco de parmesão em lascas e coloque sobre a salada junto com as raspas de limão.

salada de feta, erva-doce e melancia

4 porções
Preparo: **10 minutos**
Cozimento: **2 minutos**

350 g de **favas** frescas ou descongeladas
1 **erva-doce** grande
250 g de **melancia** descascada e picada
125 g de **queijo feta** ou **queijo branco** picado
sal e **pimenta-do-reino**

Para o molho

3 colheres (sopa) de **azeite extravirgem**
1 colher (sopa) de **suco de limão-siciliano**
1 colher (chá) de **mel**
1 colher (chá) de **calda de romã**

Cozinhe as favas em uma panela grande com água fervente ligeiramente salgada por 2 minutos. Escorra e esfrie imediatamente em água corrente. Seque em papel-toalha, descasque e descarte as cascas. Coloque as favas em uma tigela.

Limpe a erva-doce. Corte ao meio, depois fatie as duas metades. Junte as favas, a melancia e o queijo.

Misture todos os ingredientes do molho em uma tigelinha e tempere com sal e pimenta. Despeje sobre a salada, misture bem e sirva.

Variação: salada de erva-doce com laranja e salsa. Coloque fatias bem finas de erva-doce em uma tigela e junte ½ maço de salsa, 2 colheres (sopa) de minialcaparras escorridas e 1 laranja descascada em gomos. Acrescente o suco de ½ limão-siciliano, 1 colher (sopa) de suco de laranja e uma boa colherada de azeite extravirgem. Tempere com sal e pimenta e misture bem.

salada picante de cuscuz

4 porções
Preparo: **15 minutos**, mais o tempo da demolha
Cozimento: **3 minutos**

200 ml de **caldo de legumes**
200 ml de **suco de laranja**
1 colher (chá) de **canela**
½ colher (chá) de **coentro** em pó
250 g de **cuscuz**
75 g de **uvas-passas**
2 **tomates** maduros picados
¼ de **limão em conserva** picado (opcional)
½ maço de **salsa** picada
½ maço de **hortelã** picada
1 **dente de alho** amassado
4 colheres (sopa) de **azeite extravirgem**
sal e **pimenta-do-reino**

Misture o caldo, o suco de laranja, os temperos e ½ colher (chá) de sal em uma panela. Deixe ferver e adicione o cuscuz. Retire do fogo, tampe e deixe de molho por 10 minutos.

Coloque as passas, os tomates, o limão em conserva, se estiver usando, as ervas, o alho e o azeite em uma tigela grande e misture bem. Junte o cuscuz que ficou de molho e tempere com sal e pimenta. Sirva quente ou em temperatura ambiente.

Variação: tabule de cuscuz. Siga o primeiro passo da receita acima, misture 4 tomates maduros, ½ pepino em cubos, 1 cebola roxa pequena em cubos, ½ maço de salsa e de hortelã picadas, 4 colheres (sopa) de azeite extravirgem, o suco de 1 limão, sal e pimenta a gosto. Misture bem e experimente, adicionando mais suco de limão se preferir.

salada de pão do oriente médio

4 porções
Preparo: **10 minutos**, mais o tempo de resfriamento

2 **pães sírios** ou **tortilhas**
1 **pimentão verde** grande sem sementes em cubos
1 **pepino** em cubos
250 g de **tomates-cereja** cortados ao meio
½ **cebola roxa** picada
2 colheres (sopa) de **hortelã** picada
2 colheres (sopa) de **salsa** picada
2 colheres (sopa) de **coentro fresco**
3 colheres (sopa) de **azeite extravirgem**
suco de 1 **limão**
sal e **pimenta-do-reino**

Toste os pães sírios em uma panela de fundo estriado preaquecida ou no forno preaquecido por 2-3 minutos, até ficarem bem tostados. Deixe esfriar e quebre em pedaços pequenos.

Coloque o pimentão verde, o pepino, os tomates, a cebola e as ervas em uma tigela, junte o azeite, o suco de limão, sal e pimenta e mexa bem. Acrescente o pão e mexa de novo. Sirva imediatamente.

Variação: salada de pão com tomate. Coloque 750 g de tomates maduros picados em uma tigela e junte 4 fatias de pão amanhecido em cubos, 1 maço de folhas de manjericão, 125 g de azeitonas pretas sem caroço, 75 ml de azeite extravirgem, 1 colher (sopa) de vinagre balsâmico, sal e pimenta. Misture bem e sirva.

salada de batata com pinholes e manjericão

4-6 porções
Preparo: **5 minutos**, mais o tempo de resfriamento
Cozimento: **15 minutos**

1 kg de **batata** bolinha lavada
4 colheres (sopa) de **azeite extravirgem**
1½ colher (sopa) de **vinagre de vinho branco**
50 g de **pinholes** tostados
½ maço de **folhas de manjericão**
sal e **pimenta-do-reino**

Coloque as batatas em uma panela grande com água ligeiramente salgada e deixe ferver. Cozinhe por 12-15 minutos, até ficarem macias. Escorra bem e passe para uma tigela grande. Corte as batatas maiores ao meio.

Misture o azeite, o vinagre e um pouco de sal e pimenta em uma tigelinha. Coloque metade sobre as batatas, misture bem e deixe esfriar completamente.

Acrescente os pinholes, o restante do molho e o manjericão, mexa bem e sirva.

Variação: salada de batata tradicional. Cozinhe 1 kg de batatas pequenas como indicado acima, escorra e deixe esfriar. Misture 150 ml de maionese com 1 maço de cebolinha bem picada, uma pitada de suco de limão-siciliano, sal e pimenta. Misture com as batatas.

salada de gorgonzola e espinafre

4 porções
Preparo: **5 minutos**, mais o tempo de resfriamento
Cozimento: **3 minutos**

1 colher (sopa) de **mel**
125 g de **nozes** quebradas ao meio
250 g de **vagem** limpa
200 g de **folhas de miniespinafre**
150 g de **gorgonzola** em pedaços

Para o molho
4 colheres (sopa) de **óleo de nozes** ou **azeite**
2 colheres (sopa) de **azeite extravirgem**
1-2 colheres (sopa) de **vinagre de vinho tinto**
sal e **pimenta-do-reino**

Aqueça o mel em uma frigideira pequena, coloque as nozes e refogue em fogo médio por 2-3 minutos, até as nozes ficarem brilhantes. Passe para um prato e deixe esfriar.

Cozinhe a vagem em uma panela com água fervente ligeiramente salgada por 3 minutos. Escorra, esfrie em água corrente e sacuda para secar. Coloque em uma tigela grande com as folhas de espinafre.

Misture todos os ingredientes do molho em uma tigelinha e tempere com sal e pimenta. Jogue sobre a salada e misture bem. Disponha a salada em tigelas de servir, espalhe o gorgonzola e as nozes por cima e sirva imediatamente.

Variação: salada de gorgonzola, agrião e amêndoas. Substitua o espinafre por agrião. Para o molho, use 50 g de amêndoas em flocos tostadas, 200 g de gorgonzola em pedaços e um filete de azeite.

salada grega com queijo de coalho

4 porções
Preparo: **10 minutos**
Cozimento: **2 minutos**

4 **tomates maduros** picados
½ **cebola** fatiada
1 **pepino** em fatias grossas
100 g de **azeitonas pretas** sem caroço
1 **alface-romana** pequena
250 g de **queijo de coalho** fatiado

Para o molho
4 colheres (sopa) de **azeite extravirgem**
1½ colher (sopa) de **vinagre de vinho tinto**
1 colher (chá) de **orégano**
sal e **pimenta-do-reino**

Coloque os tomates, a cebola, o pepino e as azeitonas em uma tigela. Rasgue as folhas de alface e junte à salada. Misture bem e disponha numa travessa.

Misture todos os ingredientes do molho em uma tigelinha e tempere com sal e pimenta. Espalhe um pouco sobre a salada.

Aqueça uma frigideira de fundo pesado até ficar bem quente, coloque as fatias de queijo de coalho e cozinhe por 1 minuto de cada lado, até ficarem tostados e macios. Coloque por cima da salada, regue com o restante do molho e sirva imediatamente.

Variação: salada grega com croûtons crocantes. Substitua o queijo de coalho por 200 g de queijo feta. Para fazer os croûtons, corte fatias grossas de pão caseiro em pedaços grandes. Aqueça um pouco de azeite em uma frigideira e frite o pão, virando, até ficar crocante e dourado. Coloque mais azeite, se necessário. Deixe esfriar, jogue sobre a salada e sirva imediatamente.

salada de pecãs com vagem e figos

4 porções
Preparo: **5 minutos**, mais o tempo de resfriamento
Cozimento: **5-6 minutos**

100 g de **nozes-pecãs**
200 g de **vagem** limpa
4 **figos** maduros em quartos
100 g de **folhas de rúcula**
algumas **folhas de hortelã**
50 g de **pecorino** ou **parmesão**

Para o molho
3 colheres (sopa) de **azeite**
2 colheres (chá) de **vinagre de vinho tinto**
1 colher (chá) de **vinagre balsâmico**
sal e **pimenta-do-reino**

Aqueça uma frigideira de fundo grosso até ficar bem quente, coloque as nozes-pecãs e cozinhe em fogo médio por 3-4 minutos, mexendo até dourar. Deixe esfriar.

Cozinhe a vagem em uma panela com água fervente levemente salgada por 2 minutos. Escorra, esfrie sob água corrente e seque em papel-toalha. Coloque a vagem em uma tigela com os figos, as nozes-pecãs, a rúcula e a hortelã.

Misture todos os ingredientes do molho em uma tigelinha e tempere com sal e pimenta. Coloque sobre a salada e misture bem. Cubra com lascas de pecorino ou parmesão e sirva.

Variação: salada de vagem e favas. Misture 200 g de vagem limpa e cozida com 800 g de favas em lata escorridas, 4 cebolinhas picadas, 1 dente de alho amassado e 4 colheres (sopa) de ervas mistas picadas. Tempere com 4 colheres (sopa) de azeite extravirgem, suco de ½ limão-siciliano, uma pitada de açúcar, sal e pimenta.

salada vegetariana tailandesa

4 porções
Preparo: **10 minutos**, mais o tempo de resfriamento
Cozimento: **2 minutos**

250 g de **tomates-cereja** em quartos
1 **pepino** em fatias finas
1 **papaia** ou **manga verde**
1 **pimenta vermelha** grande sem sementes em fatias finas
150 g de **brotos de feijão**
4 **cebolinhas** limpas em fatias finas
folhas de manjericão tailandês
folhas de hortelã
folhas de coentro fresco
4 colheres (sopa) de **amendoim sem sal** picado

Para o molho de pimenta
2 colheres (sopa) de **geleia de pimenta** (p. 44)
2 colheres (sopa) de **shoyu light**
2 colheres (sopa) de **suco de limão**
4 colheres (chá) de **açúcar mascavo orgânico**

Faça o molho primeiro. Coloque todos os ingredientes em uma panelinha e esquente em fogo baixo, mexendo, até o açúcar se dissolver. Deixe esfriar.

Coloque os tomates, o pepino, o papaia ou a manga, a pimenta, os brotos de feijão, as cebolinhas e as ervas em uma tigela. Junte o molho e misture bem. Passe para uma travessa. Espalhe o amendoim e sirva imediatamente.

Variação: rolinhos de salada tailandesa. Sirva a salada com folhas grandes de alface-americana. Coloque um pouco em cada folha, enrole e molhe no molho. Para ficar menos apimentado, faça um molho com shoyu e suco de limão sem o açúcar. Em vez da geleia de pimenta, use geleia de limão aquecida.

legumes com pesto de salsa

4 porções
Preparo: **15 minutos**
Cozimento: **50 minutos-1 hora**

4 **batatas-bolinha** limpas
1 **cebola roxa**
2 **cenouras**
2 **ervas-doces**
8 **dentes de alho** com a casca
4 ramos de **tomilho**
2 colheres (sopa) de **azeite extravirgem**

Para o pesto de salsa
75 g de **amêndoas** escaldadas
um maço grande de **salsa**
2 **dentes de alho** picados
150 ml de **azeite extravirgem**
2 colheres (sopa) de **parmesão** ralado
sal e **pimenta-do-reino**

Corte as batatas, as cebolas, as cenouras e as ervas-doces em quartos. Coloque em uma assadeira grande formando uma única camada. Junte os dentes de alho, os ramos de tomilho, o azeite, sal e pimenta e misture bem. Asse em forno preaquecido a 220°C por 50 minutos-1 hora até ficar dourado e macio, mexendo na metade desse tempo.

Enquanto isso, faça o pesto. Aqueça uma frigideira de fundo pesado até ficar bem quente, coloque as amêndoas e cozinhe em fogo médio, mexendo, por 3-4 minutos, até dourar. Passe para uma tigela e deixe esfriar.

Coloque as amêndoas no processador, junte a salsa, o alho, sal e pimenta e bata até formar uma pasta grossa. Passe para uma tigela, misture o azeite e o parmesão e acerte o tempero.

Sirva os legumes quentes com o pesto.

Variação: macarrão com pesto de salsa. Cozinhe 450 g de macarrão em uma panela grande com água fervente ligeiramente salgada de acordo com as instruções da embalagem ou até ficar *al dente*. Enquanto isso, faça o pesto. Escorra o macarrão, reservando 4 colheres (sopa) da água do cozimento. Recoloque o macarrão e a água reservada na panela. Junte o pesto, misture bem e sirva. O macarrão pode ser servido como base substancial para os legumes grelhados.

guisado picante de batatas

4-6 porções
Preparo: **15 minutos**
Cozimento: **45 minutos**

50 g de **manteiga**
1 **cebola** pequena bem picada
1 **dente de alho** amassado
1 colher (chá) de **gengibre** ralado na hora
1 colher (chá) de **coentro** em pó
½ colher (chá) de **cúrcuma** em pó
½ colher (chá) de **cominho** em pó
1 kg de **batata-bolinha** limpa
300 ml de **caldo de legumes**
2 **tomates** maduros picados
coentro fresco picado para enfeitar
sal e **pimenta-do-reino**

Derreta a manteiga em uma panela, coloque a cebola, o alho, o gengibre, os temperos e cozinhe em fogo baixo por 5 minutos, sem parar de mexer. Junte a batata, sal e pimenta, mexa bem e acrescente o caldo e os tomates.

Deixe ferver, diminua o fogo, tampe e cozinhe por 20 minutos.

Destampe e cozinhe por mais 15-20 minutos, até o líquido engrossar. Sirva quente, com algumas folhas de coentro por cima.

Variação: batatas assadas com alho e alecrim. Coloque 1 kg de batata-bolinha limpa em uma assadeira com 12 dentes de alho inteiros com casca, 2 colheres (sopa) de alecrim, 2 colheres (sopa) de azeite, sal e pimenta. Misture bem e asse em forno preaquecido a 200°C por 40-45 minutos, até ficarem macias.

tempura de legumes

4 porções
Preparo: **20 minutos**
Cozimento: **cerca de 20 minutos**

125 g de **brócolis em floretes**
125 g de **pimentão vermelho em fatias**
125 g de **abóbora em fatias**
125 g de **vagem limpa**
125 g de **abobrinha em fatias**
óleo de milho para fritar

Para o molho
250 ml de **caldo de legumes**
1 colher sopa de **alga wakame** (p. 11)
3 colheres (sopa) de **mirin**
3 colheres (sopa) de **shoyu**

Para a massa do tempura
1 gema de ovo
250 ml de **água fria**
150 g de **farinha de trigo**

Faça o molho primeiro. Coloque todos os ingredientes em uma panela e aqueça em fogo brando sem ferver por 10 minutos. Mantenha quente.

Enquanto isso, aqueça 5 cm de óleo de milho em uma wok ou frigideira funda pesada, até atingir 180-190°C, ou até um cubo de pão tostar em 30 segundos.

Misture todos os ingredientes da massa em uma tigela. Envolva os legumes com a massa, um pouco de cada vez, e frite no óleo quente por 2-3 minutos, até ficarem crocantes e levemente corados. Retire com a escumadeira e seque em papel-toalha. Mantenha aquecido em forno moderado até fritar o restante.

Sirva o tempura com o molho.

Variação: molho ponzu. Misture 2 colheres (sopa) de shoyu, 4 colheres (sopa) de vinagre de arroz e 1 colher (sopa) de suco de limão-siciliano e sirva com o tempura de legumes.

batata-doce assada

4 porções
Preparo: **5 minutos**
Cozimento: **45-50 minutos**

4 **batatas-doces** limpas (250 g cada uma)
200 g de **iogurte natural**
2 **cebolinhas** limpas bem picadas
50 g de **manteiga**
sal e **pimenta-do-reino**

Coloque as batatas em uma assadeira e asse em forno preaquecido a 220°C por 45-50 minutos, até ficarem cozidas por inteiro.

Enquanto isso, misture o iogurte natural, as cebolinhas, sal e pimenta em uma tigela.

Corte as batatas ao meio pelo comprimento, coloque a manteiga e o recheio. Sirva imediatamente.

Variação: batata-doce crocante. Deixe as batatas esfriarem, corte em quartos e retire a parte macia do miolo. Frite em óleo quente por 4-5 minutos, até ficarem bem crocantes. Sirva com o molho de iogurte e cebolinha.

abóbora indiana

4 porções
Preparo: **15 minutos**, mais o tempo de resfriamento
Cozimento: **15-20 minutos**

1 kg de **abóbora**
1 colher (chá) de **cominho em grão**
1 colher (chá) de **coentro em grão**
2 **bagas de cardamomo**
3 colheres (sopa) de **óleo de girassol**
1 colher (chá) de **açúcar** ou **chutney de manga**

Para o pesto de coco
25 g de **folhas de coentro**
1 **dente de alho** amassado
1 **pimenta verde** picada
uma pitada de **açúcar**
1 colher (sopa) de **pistache** picado
6 colheres de **creme de coco**
1 colher (sopa) de **suco de limão**
sal e **pimenta-do-reino**

Corte a abóbora em fatias com cerca de 1 cm, descartando as sementes e as fibras, e coloque em um prato grande.

Aqueça uma frigideira de fundo pesado até ficar bem quente, coloque todos os temperos e cozinhe em fogo médio, mexendo até dourar. Deixe esfriar, passe por um moedor de temperos ou amasse em um pilão. Misture os temperos em pó com o óleo e açúcar ou chutney de manga em uma tigelinha, e passe em toda a superfície das fatias de abóbora.

Cozinhe as fatias de abóbora no forno preaquecido, ou sobre o carvão quente da churrasqueira, por 6-8 minutos de cada lado, até ficarem macias e tostadas.

Enquanto isso, faça o pesto. Coloque as folhas de coentro, o alho, a pimenta, o açúcar e o pistache no processador e bata até misturar tudo muito bem. Tempere com sal e pimenta. Junte o creme de coco e o suco de limão e bata de novo. Passe para uma tigela de servir.

Sirva as fatias de abóbora com o pesto de coco.

Variação: batata-doce indiana. Cozinhe 4 batatas-doces limpas (250 g cada uma) em uma panela grande com água fervente por 15 minutos, até ficarem macias, e escorra. Deixe esfriar e corte fatias grandes. Misture com os temperos e asse no forno ou na churrasqueira, como indicado acima, por cerca de 6 minutos, virando sempre, até dourar. Sirva quente com o pesto de coco.

polenta grelhada

8 porções
Preparo: **5 minutos**, mais o tempo de resfriamento
Cozimento: **15-20 minutos**

óleo para borrifar
1 litro de **água**
2 colheres (chá) de **sal**
175 g de **polenta instantânea**
2 **dentes de alho** amassados
50 g de **manteiga**
50 g de **parmesão** ralado na hora, mais um pouco para servir
azeite para pincelar
salsa picada para enfeitar
pimenta-do-reino

Borrife levemente com óleo uma assadeira de 23 x 30 cm. Ferva a água em uma panela de fundo pesado, coloque o sal e adicione a polenta aos poucos. Cozinhe em fogo baixo por 5 minutos, mexendo sempre até engrossar.

Tire do fogo e misture imediatamente o alho, a manteiga, o parmesão e a pimenta, até espumar. Coloque a misture na assadeira e deixe esfriar.

Vire a polenta e corte em quadrados grandes, depois na diagonal, em triângulos. Pincele os triângulos com um pouco de azeite.

Aqueça uma panela de fundo estriado até ficar bem quente. Coloque a polenta aos poucos, cozinhando em fogo médio por 2-3 minutos de cada lado, até ficar bem quente e tostada. Sirva imediatamente, enfeitada com parmesão e salsa picada.

Variação: polenta macia com manteiga de sálvia. Derreta 125 g de manteiga em uma panelinha. Acrescente 1 colher (sopa) de sálvia picada e uma pitada de pimenta-de-caiena e deixe cozinhar em fogo médio por 2-3 minutos, sem parar de mexer, até a sálvia ficar crocante e a manteiga, dourada. Mantenha aquecida. Siga a receita acima para fazer a polenta. Ao retirar a polenta cozida do fogo, misture 50 g de parmesão ralado. Coloque em tigelas para servir e regue com a manteiga de sálvia.

pães, tortas e assados

torta de queijo de cabra e figos

4 porções
Preparo: **10 minutos**
Cozimento: **20-25 minutos**

350 g de **massa folhada** descongelada
farinha de trigo para polvilhar
1 **ovo** batido
3 colheres (sopa) de **patê de azeitona** pronto
3 **figos** maduros em quartos
100 g de **tomates-cereja** cortados ao meio
100 g de **queijo de cabra** macio em pedaços
2 colheres (chá) de **tomilho**
2 colheres (sopa) de **parmesão** ralado na hora
salada de rúcula para acompanhar (p. 56) (opcional)

Abra a massa em uma superfície ligeiramente enfarinhada, até formar um retângulo de 20 x 30 cm e 2 mm de espessura; acerte as beiradas. Com um garfo, marque uma beirada de 2,5 cm das bordas. Passe para uma assadeira. Pincele a massa com um pouco de ovo batido e asse em forno preaquecido a 200°C por 12-15 minutos.

Tire a torta do forno e pressione o centro cuidadosamente para baixo, achatando-o um pouco. Espalhe o patê de azeitona e disponha os figos, os tomates, o queijo de cabra, o tomilho e o parmesão.

Recoloque a torta no forno e asse por mais 5-10 minutos, até ficar dourada, o queijo derretido e os figos, cozidos. Se desejar, doure o topo ainda mais no forno, tomando cuidado para não queimar as beiradas (você pode cobri-las com papel-alumínio). Sirva quente com uma salada de rúcula, se desejar.

Variação: torta de queijo de cabra com legumes grelhados. Corte 1 abobrinha e 1 berinjela em fatias finas; limpe, tire as sementes e corte 1 pimentão vermelho em quartos; corte uma cebola roxa em pedaços finos. Pincele os legumes com azeite e cozinhe em forno preaquecido por 3-4 minutos de cada lado, até ficarem macios. Use os legumes grelhados em lugar dos figos e tomates, e continue como indicado acima.

torta de cogumelos

6 porções
Preparo: **45 minutos**, mais o tempo de resfriamento
Cozimento: **50-55 minutos**

50 g de **manteiga**
6 **cebolas** pequenas bem picadas
2 **dentes de alho** amassados
2 colheres (chá) de **tomilho**
350 g de **cogumelos** variados
300 ml de **iogurte natural**
3 **ovos** levemente batidos
25 g de **parmesão** ralado na hora
sal e **pimenta-do-reino**
folhas de rúcula para servir

Para a massa da torta
200 g de **farinha de trigo**, mais um pouco para polvilhar
½ colher (chá) de **sal**
125 g de **manteiga sem sal** gelada em pedaços
1 **gema de ovo**
2 colheres (sopa) de **água fria**

Faça a massa primeiro. Peneire a farinha e o sal em uma tigela. Junte a manteiga e misture com as pontas dos dedos até a massa ficar parecida com farofa. Adicione a gema de ovo e a água e misture. Embrulhe em filme de PVC e deixe esfriar por 30 minutos.

Abra a massa em uma superfície ligeiramente enfarinhada. Forre com ela uma assadeira de bordas onduladas com 25 cm de diâmetro. Espete a base com um garfo e deixe esfriar por 30 minutos. Forre a massa com papel-manteiga, cubra com feijão seco e asse em forno preaquecido a 200°C por 15 minutos. Retire o papel e asse por mais 15 minutos. Deixe esfriar.

Enquanto isso, derreta a manteiga em uma frigideira, junte as cebolas, o alho, o tomilho e cozinhe em fogo baixo por 5 minutos, sempre mexendo. Aumente o fogo, junte os cogumelos, sal e pimenta e cozinhe por 4-5 minutos, mexendo, até dourar. Deixe esfriar. Espalhe sobre a base da torta. Bata o iogurte, os ovos, o parmesão, sal e pimenta e coloque por cima. Asse por 20-25 minutos, até dourar e cozinhar levemente. Sirva quente com algumas folhas de rúcula.

Variação: torta de queijo feta e espinafre.
Substitua os cogumelos por 500 g de folhas de espinafre cozidas e espremidas. Junte à mistura de cebola cozida e espalhe sobre a base da torta. Acrescente a mistura de iogurte e espalhe 125 g de queijo feta amassado. Continue como indicado acima.

torta de queijo feta e tomate

4 porções
Preparo: **15 minutos**
Cozimento: **20 minutos**

350 g de **massa folhada** descongelada
farinha de trigo para polvilhar
3 colheres (sopa) de **pesto** (p. 86)
250 g de **tomate-pera** cortado ao meio
100 g de **queijo feta** amassado
4 colheres (sopa) de **parmesão** ralado na hora
folhas de manjericão
sal e **pimenta-do-reino**

Abra a massa em uma superfície levemente enfarinhada e forme com ela um retângulo de 25 x 35 cm. Usando uma faca afiada, marque uma borda de 2,5 cm em volta das beiradas. Passe a massa para uma assadeira e espalhe o pesto.

Disponha os tomates, o queijo feta e o parmesão por cima. Tempere com sal e pimenta. Asse em forno preaquecido a 220°C por 20 minutos, até a massa crescer e dourar. Tire do forno e espalhe as folhas de manjericão.

Variação: tortinhas individuais. Abra a massa em um retângulo de 25 x 37,5 cm. Corte ao meio pelo comprimento e em 3 na largura, formando 6 quadrados. Distribua o pesto e a cobertura igualmente pelos quadrados e asse por 15 minutos, até crescerem e dourarem.

pão de bicarbonato com sementes

1 pão pequeno
Preparo: **10 minutos**
Cozimento: **40-45 minutos**

óleo para borrifar
350 g de **farinha integral**, mais um pouco para polvilhar
50 g de **sementes de girassol**
2 colheres (sopa) de **sementes de papoula**
1 colher (chá) de **bicarbonato de sódio**
1 colher (chá) de **sal**
1 colher (chá) de **açúcar refinado**
300 ml de **iogurte natural**

Borrife levemente uma assadeira com óleo. Misture a farinha, as sementes de girassol e de papoula, o bicarbonato de soda, sal e açúcar em uma tigela. Faça um buraco no centro, coloque o iogurte natural e misture aos poucos até formar uma massa macia.

Vire a massa em uma superfície de trabalho levemente polvilhada de farinha e amasse por 5 minutos. Faça um círculo achatado. Passe para uma assadeira preaquecida. Com uma faca afiada, faça uma cruz em cima do pão. Polvilhe um pouco mais de farinha sobre a superfície.

Asse em forno preaquecido a 230°C por 15 minutos, diminua a temperatura para 200°C e asse por mais 25-30 minutos, até o pão crescer e parecer oco. Deixe esfriar completamente.

Variação: pão de bicarbonato com aveia integral. Siga a receita acima, substituindo as sementes de girassol por igual quantidade de aveia integral. Dispense as sementes de papoula e siga as instruções acima.

pão de milho e pimenta

4 porções
Preparo: **10 minutos**
Cozimento: **30-40 minutos**

óleo para borrifar
75 g de **farinha de trigo**
1 colher (sopa) de **fermento em pó**
200 g de **farinha de milho**
1 colher (chá) de **sal**
3 **ovos** batidos
300 ml de **iogurte natural**
4 colheres (sopa) de **óleo de girassol**
200 g de **milho** cozido
1 **pimenta vermelha** grande sem sementes picada

Borrife levemente uma assadeira de pão de 1 kg com óleo e forre a base com papel-manteiga.

Peneire a farinha e o fermento em uma tigela, misture a farinha de milho e o sal. Abra uma cova no centro. Misture os ovos, o iogurte e o óleo em outra tigela. Coloque na cova e sove aos poucos até formar uma massa suave. Junte o milho e a pimenta.

Coloque a mistura na assadeira. Asse em forno preaquecido a 200°C por 30-40 minutos. Deixe esfriar na assadeira por 5 minutos, vire e espere esfriar completamente.

Variação: muffins de milho e pimenta. Forre com papel-manteiga uma assadeira para 12 muffins. Divida a mistura e asse no forno a 200°C por 20-25 minutos, até crescerem e dourarem. Desenforme e deixe esfriar.

pão australiano com queijo e alecrim

8 porções
Preparo: **10 minutos**
Cozimento: **30 minutos**

óleo para borrifar
500 g de **farinha com fermento**, mais um pouco para polvilhar
½ colher (chá) de **sal**
15 g de **manteiga** gelada em cubos
50 g de **queijo cheddar** em pedaços
2 colheres (chá) de **alecrim**
150 ml de **leite**
150 ml de **água**

Borrife levemente uma assadeira com óleo. Peneire a farinha e o sal em uma tigela. Coloque a manteiga e misture com a ponta dos dedos até ficar parecido com farofa. Misture o cheddar e o alecrim. Abra uma cova no centro, coloque o leite e a água e vá misturando aos poucos, até formar uma massa macia.

Vire a massa em uma superfície de trabalho ligeiramente polvilhada e amasse delicadamente, formando uma bola uniforme. Coloque a massa na assadeira e achate, formando um círculo de 18 cm. Com uma faca afiada, marque 8 gomos na superfície. Asse em forno preaquecido a 200°C por cerca de 30 minutos, até o pão crescer e parecer oco. Deixe esfriar completamente.

Variação: pães pequenos. Divida a massa em 8 pedaços. Faça uma bola com cada pedaço e achate. Pincele com um pouco de leite e espalhe um pouco mais de cheddar. Asse a 200°C por 18-20 minutos, até ficarem prontos.

berinjela gratinada

6 porções
Preparo: **10 minutos**
Cozimento: **1 hora e 10 minutos**

óleo para borrifar
800 g de **tomate em lata** picado
2 **dentes de alho** grandes amassados
4 colheres (sopa) de **azeite extravirgem**
1 colher (chá) de **açúcar** refinado
2 colheres (sopa) de **manjericão** picado
2 **berinjelas**
250 g de **queijo de cabra macio** fatiado ou em pedaços
50 g de **parmesão** ralado na hora
sal e **pimenta-do-reino**

Borrife levemente uma assadeira de 1,5 litro com óleo. Coloque os tomates, o alho, metade do azeite, o açúcar, o manjericão, sal e pimenta em uma panela e deixe ferver. Diminua o fogo e cozinhe por 30 minutos, até reduzir e engrossar.

Corte cada berinjela no sentido do comprimento em 6 fatias. Tempere o restante do azeite com sal e pimenta, e pincele com ele as fatias de berinjela. Cozinhe em forno preaquecido bem quente por 3-4 minutos de cada lado, até ficarem macias e tostadas.

Disponha $1/3$ das fatias de berinjela, sobrepondo-as ligeiramente, no fundo da assadeira untada. Coloque $1/3$ do molho de tomate e $1/3$ do queijo de cabra e do parmesão. Repita essas camadas, terminando com os 2 queijos. Asse em forno preaquecido a 200°C por 30 minutos, até dourar e borbulhar.

Variação: lasanha de berinjela. Siga a receita acima até o fim do segundo passo, coloque as berinjelas e o molho de tomate de lado. Prepare uma receita de molho de queijo (p. 90). Alterne camadas de berinjela, molho de tomate e molho de queijo em uma assadeira de 2 litros, espalhe 4 colheres (sopa) de parmesão ralado por cima e asse como indicado acima por 35-40 minutos, até dourar e borbulhar.

gratinado de batata com pinholes

6 porções
Preparo: **15 minutos**
Cozimento: **1 hora e 30 minutos**

óleo para borrifar
1 kg de **batatas** pequenas
noz-moscada ralada na hora a gosto
25 g de **manteiga** em pedaços
200 ml de **leite**
200 ml de **creme de leite fresco**
sal e **pimenta-do-reino**

Para a crosta de pinholes
50 g de **cascas de pão integral** fresco
50 g de **pinholes**
25 g de **parmesão** ralado na hora
1 colher (sopa) de **salsa** picada

Borrife ligeiramente uma assadeira de 1 litro com óleo. Descasque e corte as batatas em fatias finas. Disponha as fatias na assadeira em camadas, temperando cada camada com a noz-moscada, sal e pimenta, e acrescentando alguns pedaços de manteiga.

Misture o leite e o creme leite, jogue sobre as batatas e cubra a travessa com papel-alumínio. Asse no forno preaquecido a 190°C por 1 hora, até as batatas ficarem quase macias.

Enquanto isso, misture as cascas de pão, os pinholes, o parmesão e a salsa em uma tigela.

Retire o papel-alumínio e espalhe essa mistura na assadeira formando uma crosta. Asse por mais 25-30 minutos, até a cobertura ficar crocante e dourada.

Variação: gratinado de batata com tomates.
Corte 500 g de batatas e 500 g de tomates em fatias finas; disponha-as em camadas alternadas em uma assadeira grande levemente untada. Continue como indicado na receita acima.

pizza quatro queijos

2 pizzas
Preparo: **20 minutos**, mais o tempo de crescimento
Cozimento: **20-30 minutos**

125 g de **mussarela** fatiada
50 g de queijo **taleggio** ou **fontina** em cubos
50 g de **gorgonzola** em pedaços
4 colheres de **parmesão** ralado na hora
folhas de rúcula para servir

Para a massa de pizza
250 g de **farinha de trigo**, mais um pouco para polvilhar
1 colher (chá) de **fermento biológico em pó**
1 colher (chá) de **sal marinho**
uma pitada de **açúcar refinado**
150 ml de **água morna**
1 colher (sopa) de **azeite extravirgem**
óleo para borrifar

Faça a massa da pizza primeiro. Peneire a farinha em uma tigela e misture o fermento, sal e açúcar. Abra uma cova no centro, coloque a água e o óleo e misture aos poucos, até formar uma massa macia.

Borrife uma tigela com óleo. Vire a massa em uma superfície levemente polvilhada com farinha. Amasse por 10 minutos, até ficar macia e elástica. Coloque na tigela untada, cubra e deixe descansar em lugar quente por 1 hora, até dobrar de tamanho.

Coloque uma assadeira de fundo pesado na prateleira central do forno preaquecido a 230°C. Tire o ar da massa. Divida ao meio. Abra uma das metades em um círculo de 25 cm de diâmetro. Passe para a assadeira aquecida e espalhe metade dos queijos. Asse por 10-15 minutos, até a base ficar crocante e dourada. Sirva imediatamente, coberta com folhas de rúcula. Repita para fazer a segunda pizza.

Variação: pizza de queijo e tomate-cereja. Cubra a base de cada pizza com 125 g de tomates-cereja cortados ao meio, 125 g de mussarela, 50 g de azeitonas sem caroço e algumas folhas de manjericão. Asse como indicado acima. Asse uma pizza de cada vez para obter melhores resultados. Para fazer 4, simplesmente dobre as quantidades.

pizza de sálvia e abóbora

2 pizzas
Preparo: **20 minutos**, mais o tempo de crescimento
Cozimento: **45-55 minutos**

óleo para borrifar
1 receita de **massa de pizza** (p. 190)
farinha de trigo para polvilhar
500 g de **abóbora** sem casca
1 **cebola** fatiada
2 colheres de **azeite extravirgem**
2 **dentes de alho** picados
pimenta seca em flocos
1 colher (sopa) de **sálvia** picada
250 g de **mussarela** fatiada
4 colheres (sopa) de **parmesão** ralado na hora
sal e **pimenta-do-reino**

Borrife levemente uma tigela com óleo. Vire a massa de pizza em uma superfície levemente polvilhada com farinha. Amasse por 10 minutos até ficar macia e elástica. Coloque na tigela untada, cubra e deixe descansar em um lugar quente por 1 hora, até dobrar de tamanho.

Enquanto isso, corte a abóbora ao meio, descarte as fibras e sementes. Corte em cubos de 2,5 cm. Coloque em uma assadeira, junte a cebola, metade do azeite, o alho, os flocos de pimenta, a sálvia, sal e pimenta-do-reino e misture bem. Asse em forno preaquecido a 230°C por 25 minutos, até ficar macio, mexendo na metade do tempo de cozimento.

Coloque uma assadeira de fundo pesado na prateleira central do forno e aqueça por 5 minutos. Tire o ar da massa. Divida ao meio. Abra uma das metades em um círculo de 25 cm de diâmetro. Passe para a assadeira aquecida. Cubra com metade da mistura de abóbora e dos queijos. Asse por 10-15 minutos, até a base ficar crocante e dourada. Sirva imediatamente. Repita para fazer a segunda pizza.

Variação: calzone de sálvia e abóbora. Abra toda a massa até formar um círculo de 40 cm de diâmetro. Disponha a mistura de abóbora em uma das metades e cubra com os queijos. Molhe as pontas com água, dobre o restante da massa sobre o recheio e pressione as pontas para fechar. Asse na mesma temperatura sugerida acima por 25-30 minutos, até crescer e dourar.

pizza de taleggio e aspargos

2 pizzas
Preparo: **15 minutos**, mais o tempo de crescimento
Cozimento: **20-30 minutos**

óleo para borrifar
1 receita de **massa de pizza** (p. 190)
farinha de trigo para polvilhar
5 colheres (sopa) de **polpa de tomate**
1 colher (sopa) de **pesto vermelho** pronto
uma pitada de **sal**
250 g de queijo **taleggio** ou **mussarela** fatiado
175 g de **aspargos finos** limpos
2 colheres (sopa) de **azeite**
pimenta-do-reino

Borrife levemente uma tigela com óleo. Vire a massa de pizza em uma superfície levemente polvilhada com farinha. Amasse por 10 minutos, até ficar macia e elástica. Coloque na tigela untada, cubra e deixe descansar em lugar quente por 1 hora, até dobrar de tamanho.

Coloque uma assadeira de fundo pesado na prateleira central do forno preaquecido a 230ºC por 5 minutos. Enquanto isso, misture a polpa de tomate, o pesto e o sal em uma tigela.

Tire o ar da massa. Divida ao meio. Abra uma das metades formando um círculo de 25 cm de diâmetro. Passe para a assadeira aquecida. Espalhe metade da mistura com polpa de tomate sobre a base da pizza. Cubra com metade das fatias de taleggio e dos aspargos e regue com metade do azeite. Asse por 10-15 minutos, até a base ficar crocante e dourada. Tempere com pimenta e sirva imediatamente. Repita para fazer a segunda pizza.

Variação: pizza de mussarela de búfala com alcachofra. Substitua o pesto vermelho pela mesma quantidade de pesto verde. Fatie 250 g de mussarela de búfala e use em lugar do taleggio, e substitua os aspargos por corações de alcachofra em conserva escorridos. Se encontrar apenas aspargos grandes, corte-os ao meio antes de espalhá-los pela pizza. Termine a receita como indicado acima.

pizza de pão sírio com queijo de cabra

4 porções
Preparo: **10 minutos**
Cozimento: **7-8 minutos**

4 **pães sírios** com cerca de 20 cm de diâmetro
2 colheres (sopa) de **pasta de tomate seco** ou **molho de tomate**
300 g de **mussarela** fatiada
6 **tomates maduros** picados grosseiramente
4 colheres (sopa) de **azeite**
1 **dente de alho** amassado
folhas de manjericão rasgadas
100 g de **queijo de cabra macio**
sal e **pimenta-do-reino**

Coloque os pães sírios em 2 assadeiras e espalhe a pasta de tomate seco. Cubra com as fatias de mussarela e asse em forno preaquecido a 200°C por 7-8 minutos, até a base ficar crocante e o queijo, derretido.

Enquanto isso, coloque os tomates em uma tigela, junte o azeite, o alho e o manjericão e tempere com bastante sal e pimenta.

Distribua a mistura entre os pães e espalhe o queijo de cabra. Sirva imediatamente.

Variação: pizza rápida de pimentão assado.
Substitua os tomates frescos por 4 tomates secos no azeite escorridos e cortados grosseiramente, misturados com 200 g de pimentões assados também escorridos; use orégano picado em vez do manjericão. Depois de colocar o queijo de cabra, espalhe algumas azeitonas sem caroço e sirva.

sobremesas

musse de chocolate

4 porções
Preparo: **5 minutos**, mais o tempo de resfriamento
Cozimento: **3-4 minutos**

175 g de **chocolate amargo** em pedaços
100 ml de **creme de leite fresco**
3 **ovos** com claras e gemas separadas
coco ralado para polvilhar

Coloque o chocolate e o creme de leite em uma tigela refratária sobre uma panela com água fervente (não deixe a tigela encostar na água) e mexa até o chocolate derreter. Deixe esfriar por 5 minutos e misture as gemas, uma por vez.

Bata as claras em neve, adicione à mistura de chocolate delicadamente até misturar bem. Coloque a musse em 4 tacinhas de sobremesa e deixe esfriar por 2 horas. Polvilhe com um pouco de coco ralado antes de servir.

Variação: musse de chocolate com laranja. Siga a receita acrescentando raspas da casca de uma laranja grande e 2 colheres (sopa) de Grand Marnier ao chocolate derretido com creme de leite. Continue como indicado acima.

damascos com pistache

4 porções
Preparo: **10 minutos**, mais o tempo de resfriamento
Cozimento: **8 minutos**

125 g de **açúcar refinado**
300 ml de **água**
2 pedaços de **casca de limão**
2 **bagas de cardamomo**
1 **fava de baunilha**
12 **damascos** (ou **pêssegos**) cortados ao meio
1 colher (sopa) de **suco de limão-siciliano**
1 colher (sopa) de **água de rosas**
25 g de **pistache** picado
sorvete de baunilha ou **iogurte natural** para servir (opcional)

Deixe uma tigela grande esfriando no congelador. Coloque o açúcar em uma panela larga com a água e aqueça em fogo brando até dissolver. Enquanto isso, corte a casca de limão em tirinhas, amasse as bagas de cardamomo e abra a fava de baunilha no meio. Coloque a casca de limão, o cardamomo e a baunilha na panela.

Junte os damascos e cozinhe delicadamente por 5 minutos, até ficarem macios. Tire do fogo, junte o suco de limão e a água de rosas e passe para a tigela resfriada. Deixe esfriar.

Coloque os damascos e um pouco da calda em tigelas de servir, espalhe o pistache e sirva com sorvete ou iogurte, como preferir.

Variação: pêssegos com amêndoas. Siga o primeiro passo da receita acima, mas substitua a casca de limão por casca de laranja e a baga de cardamomo por ½ canela em pau. Descasque, corte ao meio e tire o caroço de 4 pêssegos grandes, cozinhe até ficarem macios e acrescente suco de laranja e água de flor de laranjeira em vez do suco de limão e água de rosas. Deixe esfriar e sirva salpicado por flocos de amêndoas em vez de pistache.

bolinhos de maçã com calda de amora

4 porções
Preparo: **15 minutos**
Cozimento: **cerca de 10 minutos**

2 **ovos**
125 g de **farinha de trigo**
4 colheres (sopa) de **açúcar refinado**
150 ml de **leite**
óleo de girassol para fritar
4 **maçãs** sem caroço em fatias grossas
150 g de **amoras congeladas**
2 colheres (sopa) de **água**
açúcar de confeiteiro para polvilhar

Coloque a clara de um dos ovos em uma tigela, e a gema com o outro ovo inteiro em outra tigela. Junte a farinha e metade do açúcar refinado nessa segunda tigela. Bata a clara do ovo em neve. Bata a mistura de farinha até ficar macia, acrescentando o leite aos poucos. Misture a clara batida.

Coloque o óleo em uma panela funda e pesada até chegar a $^{1}/_{3}$ da panela, aqueça até atingir 180-190°C, ou até que um cubo de pão toste em 30 segundos. Molhe as fatias de maçã na massa, cobrindo-as por completo. Tire uma fatia de cada vez e coloque com cuidado no óleo. Frite as fatias por 2-3 minutos, virando para ficarem douradas. Retire com a escumadeira e seque em papel-toalha.

Enquanto isso, coloque as amoras, o restante do açúcar e a água em uma panelinha e aqueça por 2-3 minutos, até ficar bem quente. Disponha os bolinhos em tigelas, cubra com a calda de amora e salpique uma pouco de açúcar de confeiteiro.

Variação: bolinhos de banana com calda de framboesa. Use 4 bananas em fatias grossas em vez das maçãs. Use framboesas em vez de amoras. Continue a receita como indicado acima.

maçã caramelizada crocante

4 porções
Preparo: **15 minutos**
Cozimento: **25 minutos**

óleo para borrifar
750 g de **maçãs verdes**
75 g de **manteiga sem sal** em cubos, mais um pouco para untar
3 colheres (sopa) de **açúcar mascavo claro**
6 **cravos** inteiros
50 g de **uvas-passas brancas**
75 ml de **água fria**

Para a cobertura crocante
75 g de **aveia em flocos**
75 g de **farinha de trigo**
50 g de **avelã** triturada
50 g de **açúcar mascavo claro**
2 colheres (chá) de **canela**
100 g de **manteiga sem sal** em cubos

Borrife levemente 4 refratários de 300 ml cada com óleo. Descasque as maçãs, retire os caroços e corte em fatias grossas. Coloque em uma panela com a manteiga, o açúcar, os cravos, as passas e a água. Tampe e cozinhe em fogo brando por 5-6 minutos, até as maçãs amolecerem. Divida entre as tigelas.

Coloque a aveia, a farinha, a avelã, o açúcar e a canela em uma tigela e misture bem. Junte a manteiga e misture com as pontas dos dedos até a mistura virar uma farofa. Coloque sobre as tigelas com as maçãs e asse em forno preaquecido a 190°C por 25 minutos, até dourar e borbulhar.

Variação: pêssegos crocantes com mirtilos. Substitua as maçãs por 450 g de pêssegos sem caroço em fatias e 250 g de mirtilos. Cozinhe como no primeiro passo acima com 25 g de manteiga, 2 colheres (sopa) de açúcar refinado e 2 colheres (sopa) de água fria, até ficarem macios. Continue como indicado acima.

omelete com geleia

4 porções
Preparo: **10 minutos**
Cozimento: **8-12 minutos**

6 **ovos** com gemas e claras separadas
2 colheres (chá) de **extrato de baunilha**
4 colheres (sopa) de **açúcar de confeiteiro**
40 g de **manteiga**
4 colheres (sopa) de **geleia de framboesa**
100 g de **framboesas** descongeladas
100 g de **mirtilos** descongelados
creme de leite para servir

Bata as claras em neve. Misture as gemas, o extrato de baunilha e 1 colher (sopa) do açúcar em outra tigela. Coloque uma colherada de claras batidas para soltar a mistura das gemas, acrescente o restante e mexa delicadamente.

Derreta metade da manteiga em uma frigideira de 20 cm de diâmetro. Assim que parar de borbulhar, coloque metade da mistura de ovos e cozinhe em fogo médio por 3-4 minutos, até a parte de baixo dourar. Transfira para o forno preaquecido e deixe dourar levemente. Coloque a omelete com cuidado em um prato aquecido e mantenha no forno quente, mas desligado. Repita com o restante dos ingredientes para fazer uma segunda omelete.

Cubra as omeletes com a geleia e as frutas, e dobre ao meio para cobrir o recheio. Polvilhe com o restante de açúcar, corte ao meio e sirva imediatamente com o creme de leite.

Variação: omelete com geleia de laranja.
Substitua a geleia de framboesa por geleia de laranja. Descasque 4 laranjas tirando toda a pele branca. Retire as sementes e limpe completamente os gomos. Coloque-os inteiros ou cortados ao meio junto com a geleia de laranja nas omeletes.

frutas grelhadas com açúcar mascavo

4 porções
Preparo: **10 minutos**
Cozimento: **6-16 minutos**

25 g de **açúcar mascavo** orgânico
raspas e suco de 1 **limão**
2 colheres (sopa) de **água**
½ colher (chá) de **pimenta-do-reino** moída na hora
500 g de **frutas variadas**, como abacaxi ou pêssego em fatias e manga em pedaços

Para servir
sorvete de baunilha ou **canela**
rodelas de limão

Coloque o açúcar, as raspas e o suco de limão, a água e a pimenta em uma panelinha e aqueça em fogo brando até o açúcar dissolver. Encoste a base da panela em água gelada para esfriar.

Pincele as frutas com a calda fria e cozinhe em forno preaquecido por 6-8 minutos de cada lado, ou sobre o carvão quente da churrasqueira por 3-4 minutos de cada lado, até amolecerem.

Sirva com canela ou sorvete de baunilha e rodelas de limão.

Variação: espetinhos de frutas grelhadas. Corte as frutas em pedaços grandes, coloque em espetos de madeira (deixados de molho em água por 30 minutos) e pincele com a calda fria antes de cozinhá-los de acordo com a receita acima.

cheesecake de tiramisu

8-12 porções
Preparo: **20 minutos**, mais o tempo de resfriamento
Cozimento: **50 minutos-1 hora**

óleo para borrifar
16 **biscoitos champanhe** (p. 11)
4 colheres (sopa) de **café expresso** frio
500 g de **cream cheese**
250 g de **mascarpone**
3 **ovos**
125 de **açúcar de confeiteiro**
2 colheres (sopa) de **vinho marsala**
25 g de **chocolate amargo**

Borrife levemente uma assadeira quadrada de 23 cm com óleo e forre com papel-manteiga, deixando o papel passar as beiradas. Disponha no fundo da assadeira os biscoitos champanhe com o lado do açúcar para cima, cortando-os se necessário. Pincele os biscoitos com o café.

Coloque o cream cheese, o mascarpone, os ovos, o açúcar e o marsala na vasilha da batederia. Bata bem e coloque na assadeira, alisando a superfície. Rale o chocolate por cima.

Asse em forno preaquecido a 140°C por 50 minutos–1 hora. Retire cuidadosamente da assadeira e corte em pedaços.

Variação: cheesecake de chocolate. Derreta 125 g de chocolate amargo em pedaços em um refratário em banho-maria. Siga a receita, juntando o chocolate derretido e 2 colheres (sopa) de coco ralado à mistura. Asse como indicado acima.

suspiro com morango e lavanda

4 porções
Preparo: **10 minutos**

400 g de **morangos** frescos
2 colheres (sopa) de **açúcar de confeiteiro**, mais um pouco para polvilhar
4-5 **ramos de lavanda**, mais um pouco para decorar
400 g de **coalhada**
4 **suspiros grandes** esfarelados

Reserve 4 morangos pequenos para decorar. Limpe o restante, coloque em uma tigela com açúcar e amasse com um garfo. Você também pode bater os morangos com o açúcar no processador ou liquidificador, até obter um purê macio. Tire as flores de lavanda dos ramos e pique-as no purê a gosto.

Coloque a coalhada em uma tigela, acrescente os suspiros esfarelados e misture delicadamente. Junte o purê de morangos e misture para obter um efeito marmorizado. Disponha em 4 taças de sobremesa.

Corte os morangos reservados ao meio e enfeite a sobremesa, junto com ramos de lavanda. Polvilhe com açúcar e sirva imediatamente.

Variação: suspiro com pêssego e água de rosas. Descasque, corte no meio e tire o caroço de 3 pêssegos, pique ou amasse ou bata no processador ou liquidificador com 2 colheres (sopa) de mel e 2 colheres (chá) de água de rosas. Continue a receita como indicado acima. Para enfeitar, use pétalas de rosas cristalizadas.

sorbet de frutas vermelhas

2 porções
Preparo: **5 minutos**, mais o tempo de congelamento

250 g de **frutas vermelhas variadas congeladas**
75 ml de **licor de frutas vermelhas**
2 colheres (sopa) de **kirsch**
1 colher (sopa) de **suco de limão**

Coloque uma travessa rasa de plástico no congelador para esfriar. Bata as frutas congeladas, o licor, o kirsch e o suco de limão no processador ou liquidificador, até virar um purê. Tome cuidado para não bater demais e deixar o purê muito ralo.

Passe para a travessa resfriada e leve ao congelador por 25 minutos, pelo menos. Use uma colher de sorvete e sirva em tigelinhas individuais.

Variação: sorbet de framboesa. Substitua os ingredientes por framboesas congeladas, Sambuca (ou licor de anis), licor de cassis e suco de limão. Use as mesmas quantidades e método do sorbet de frutas vermelhas.

torta de banana e figo

4 porções
Preparo: **15 minutos**
Cozimento: **15 minutos**

6 folhas grandes de **massa folhada**
50 g de **manteiga sem sal** derretida
4 **bananas** fatiadas
6 **figos secos** fatiados
25 g de **açúcar** de confeiteiro
raspas de ½ **limão-siciliano**
½ colher (chá) de **canela**
creme de leite fresco ou **iogurte natural** para servir

Corte as folhas de massa folhada ao meio. Coloque uma folha em uma assadeira e pincele com a manteiga derretida, cubra com outra folha e pincele de novo com manteiga. Repita com as outras folhas.

Disponha as fatias de banana e de figos sobre a massa. Misture o açúcar, as raspas de limão e a canela, polvilhe sobre as frutas e regue com o que restar da manteiga.

Asse em forno preaquecido a 200°C por 15 minutos, até a massa ficar crocante e a fruta dourada. Sirva quente com o creme de leite ou iogurte.

Variação: torta de maçã. Prepare a massa como indicado acima. Limpe 2 maçãs, corte em quartos e depois em fatias finas. Disponha as fatias sobre a massa. Regue com 25 g de manteiga derretida e polvilhe com 2 colheres (sopa) de açúcar de confeiteiro misturado com 1 colher (chá) de canela. Asse como indicado acima por 20 minutos.

banana com calda toffee

4 porções
Preparo: **5 minutos**
Cozimento: **5 minutos**

4 **bananas**
125 g de **manteiga sem sal**
canela em pó ou **noz--moscada** ralada na hora para decorar (opcional)
sorvete de baunilha para servir

Para a calda toffee
125 g de **açúcar mascavo** orgânico
125 ml de **creme de leite fresco**
suco de limão a gosto

Descasque as bananas e corte em quartos ou ao meio pelo comprimento. Derreta a manteiga em uma frigideira, coloque as bananas e cozinhe em fogo médio por cerca de 30 segundos de cada lado, até dourar levemente. Retire com a escumadeira e passe para um prato aquecido.

Coloque o açúcar e o creme de leite na frigideira e aqueça em fogo baixo até o açúcar dissolver. Cozinhe delicadamente por 2-3 minutos, até engrossar. Acrescente suco de limão a gosto.

Sirva as bananas regadas com a calda toffee e uma colherada de sorvete de baunilha. Salpique com canela ou noz-moscada ralada, se desejar.

Variação: abacaxi com calda toffee. Descasque um abacaxi maduro, tirando os "olhos"; corte em fatias. Tire o miolo das fatias formando anéis. Cozinhe os anéis de abacaxi da mesma forma que as bananas e continue a receita acima.

mexericas caramelizadas

4 porções
Preparo: **10 minutos**, mais o tempo de resfriamento
Cozimento: **15 minutos**

250 g de **açúcar granulado**
250 ml de **água fria**
6 colheres (sopa) de **água fervente**
8 **mexericas** descascadas
3 **anises-estrelados**
creme de leite fresco para servir

Coloque o açúcar com a água fria em uma panelinha e aqueça em fogo brando até dissolver completamente. Não mexa de maneira alguma para o açúcar não endurecer – incline a panela um pouco para misturar o açúcar, se necessário. Aumente o fogo e ferva por 10 minutos, até ficar levemente dourado.

Tire a panela do fogo e junte a água fervente, uma colher de cada vez, esperando até que cada colherada se dissolva. Incline a panela para misturar, aquecendo levemente se necessário.

Coloque as mexericas em um refratário com os anises-estrelados, despeje a calda quente e deixe esfriar por 3-4 horas. Mexa as mexericas e passe para uma travessa. Sirva com creme de leite fresco.

Variação: mexericas caramelizadas com aroma de ervas. Use 3 ramos de alecrim ou 2 folhas de louro em vez do anis-estrelado. Coloque as ervas embaixo das mexericas antes de despejar a calda.

pudim de brioche com sorvete

4 porções
Preparo: **45 minutos**, mais o tempo de descanso, resfriamento, congelamento e demolha
Cozimento: **40 minutos**

8 fatias de **brioche** ou **pão de leite**
3 **ovos** levemente batidos
50 g de **açúcar de confeiteiro**
250 ml de **leite**
250 ml de **creme de leite fresco**
cravo e **canela** a gosto
25 g de **manteiga** derretida
1 colher (sopa) de **açúcar demerara**

Para o sorvete
750 ml de **creme de leite fresco**
1 **fava de baunilha** partida ao meio
5 **gemas de ovo**
125 ml de **xarope de bordo**

Faça o sorvete primeiro. Coloque o creme de leite e a fava de baunilha em uma panela e aqueça até ferver. Tire do fogo e deixe descansar por 20 minutos. Retire as sementes da fava e coloque no creme.

Bata as gemas de ovo e o xarope de bordo em uma tigela, misture ao creme e recoloque na panela. Aqueça delicadamente, mexendo até engrossar e envolver a colher. Não deixe ferver. Espere esfriar. Congele em um pote plástico, batendo a cada hora, por 5 horas, ou até congelar.

Corte as fatias de brioche em quartos, na diagonal, formando triângulos. Disponha em 4 refratários de 250 ml. Misture os ovos, o açúcar, o leite, o creme de leite, o cravo e a canela em outra tigela. Espalhe sobre as fatias de brioche até quase cobri-las. Regue com a manteiga e espalhe o açúcar demerara. Deixe de molho por 30 minutos.

Disponha os refratários em uma assadeira grande. Encha com água até a metade. Asse em forno preaquecido a 180°C por 30 minutos, até murchar e ficar levemente dourado por cima. Sirva com o sorvete.

Variação: pudim de pão com manteiga. Substitua as fatias de brioche por fatias de pão branco. Passe manteiga em um dos lados, corte ao meio na diagonal e disponha em uma assadeira de 1,5 litro. Cubra com o creme de ovos e asse por 45-50 minutos, até murchar.

palmiers de laranja com ameixa

4 porções
Preparo: **20 minutos**
Cozimento: **10 minutos**

1 folha de **massa folhada** quadrada de 25 cm descongelada
1 **ovo** batido
3 colheres (sopa) de **açúcar mascavo**
raspas de ½ **laranja**
óleo para borrifar
6 colheres (sopa) de **suco de laranja**
50 g de **açúcar refinado**
400 g de **ameixas** sem caroço fatiadas
açúcar de confeiteiro para polvilhar
creme de leite fresco para servir

Pincele a massa com um pouco do ovo batido, polvilhe com o açúcar mascavo e as raspas de laranja. Enrole uma das pontas da massa até o centro. Faça o mesmo com o outro lado, até os dois lados se encontrarem.

Pincele a massa com mais ovo batido e corte 8 fatias grossas. Borrife levemente uma assadeira com o óleo. Disponha as fatias de massa com o lado cortado para cima. Asse em forno preaquecido a 200°C por 10 minutos, até crescer e dourar.

Enquanto isso, coloque o suco de laranja e o açúcar refinado em uma panela. Junte as ameixas e cozinhe em fogo médio, mexendo por 5 minutos.

Faça um sanduíche com dois palmiers e as ameixas, polvilhando com o açúcar de confeiteiro e servindo com uma colherada de creme de leite fresco.

Variação: palmiers com frutas da estação.
Substitua as ameixas por frutas de época. Use 450 g de mangas, bananas ou caquis fatiados. Continue a receita como indicado acima.

salada de frutas vermelhas

4 porções
Preparo: **10 minutos**, mais o tempo de resfriamento
Cozimento: **10 minutos**

3 **laranjas**
50 g de **açúcar cristal**
1 **fava de baunilha** partida ao meio
1 **pau de canela** quebrado
250 g de **morangos** frescos
200 g de **cerejas** frescas
125 g de **framboesas** frescas
125 g de **mirtilos** frescos

Esprema as laranjas em uma jarra medidora e junte água fria até completar 300 ml. Coloque em uma panela com o açúcar, a fava de baunilha e a canela em pau. Aqueça em fogo brando, mexendo até dissolver o açúcar, e cozinhe delicadamente por 5 minutos, até formar uma calda.

Tire do fogo e deixe esfriar completamente. Retire a baunilha e a canela da panela.

Limpe e corte os morangos ao meio, coloque em uma tigela grande com as outras frutas e regue com a calda. Mexa bem e deixe marinar em temperatura ambiente por 30 minutos.

Variação: salada perfumada de frutas vermelhas com água de rosas. Coloque 300 ml de água fria em uma panela com 75 g de açúcar refinado e 1 canela em pau levemente machucada. Aqueça em fogo brando, mexendo até o açúcar dissolver, e cozinhe por 5 minutos. Remova a canela, tire a panela do fogo e deixe esfriar. Misture 1 colher (sopa) de água de rosas e as frutas vermelhas.

zabaione de cereja e canela

4 porções
Preparo: **10 minutos**
Cozimento: **12-15 minutos**

4 **gemas** de ovo
125 g de **açúcar refinado**
150 ml de **xerez**
uma boa pitada de **canela**
425 g de **cerejas** em calda
2 biscoitos tipo **amaretto** para decorar

Coloque 5 cm de água em uma panela média e deixe ferver. Cubra com uma tigela refratária grande, sem deixar a água encostar na base da tigela. Diminua o fogo; coloque as gemas de ovo, o açúcar, o xerez e a canela na tigela. Bata por 5-8 minutos até engrossar e ficar cremoso, com o creme deixando um rastro quando a mistura sobe.

Escorra algumas cerejas e coloque-as, com um pouco da calda, em uma panelinha. Esquente e depois distribua por 4 copos ou taças de sobremesa.

Cubra com o zabaione e decore com os biscoitos. Sirva imediatamente.

Variação: zabaione de morango e baunilha. Substitua o xerez por marsala, exclua a canela e misture 2 gotas de extrato de baunilha e raspas de ½ limão às gemas de ovo. Use morangos ou amoras em vez de cerejas.

crumble de marzipã

4 porções
Preparo: **20 minutos**
Cozimento: **35-40 minutos**

- 400 g de **maçãs** em fatias finas
- 1 **pera** madura fatiada
- 100 g de **açúcar refinado**
- 125 g de **farinha de trigo**
- 50 g de **manteiga** em cubos
- 125 g de **marzipã** ralado grosseiramente
- **flocos de amêndoas**

Coloque os damascos e a pera em um refratário de 1,2 litro com metade do açúcar.

Coloque o restante do açúcar no processador, junte a farinha e a manteiga e bata até a mistura virar uma farofa. Você também pode colocar os ingredientes em uma tigela, juntar a manteiga e amassar com os dedos até a mistura ficar parecendo uma farofa fina. Misture o marzipã.

Coloque sobre as frutas e polvilhe com flocos de amêndoa. Asse em forno preaquecido a 180°C por 35-40 minutos, até dourar, verificando depois de 15-20 minutos e cobrindo com papel-alumínio para evitar que asse demais, se necessário. Sirva quente.

Variação: crumble de marzipã, banana e ameixa. Substitua as maçãs por 500 g de ameixas maduras cortadas ao meio; e a pera por uma banana grande. Continue a receita como indicado acima. A "massa" da torta pode ser feita em grande quantidade e congelada em um saco plástico para uso posterior.

mil-folhas de won ton

12 porções
Preparo: **10 minutos**
Cozimento: **3 minutos**

2 colheres (sopa) de **açúcar refinado**
½ colher (chá) de **canela**
9 folhas de **massa para won ton**
25 g de **manteiga sem sal** derretida
125 g de **mascarpone**
1-2 colheres (sopa) de **açúcar de confeiteiro**, mais um pouco para polvilhar
1 colher (chá) de **suco de limão-siciliano**
125 g de **morangos** limpos e fatiados

Misture o açúcar refinado e a canela. Corte a massa para won ton em quadrados, pincele com a manteiga derretida e cubra com uma camada do açúcar com canela.

Coloque em uma assadeira e asse em forno preaquecido a 200°C por 2-3 minutos, até ficar crocante e dourada. Deixe esfriar.

Bata o mascarpone com o açúcar de confeiteiro e o suco de limão em uma tigela e espalhe um pouco sobre 12 won tons crocantes. Cubra com metade dos morangos fatiados. Repita o processo com os outros 12 won tons e o restante da mistura de mascarpone e morangos para fazer uma segunda camada. Coloque os won tons restantes por cima e polvilhe com um pouco mais do açúcar com canela. Sirva com taças de champanhe, se desejar.

Variação: mil-folhas de frutas vermelhas. Use framboesas ou amoras em vez dos morangos, e substitua o mascarpone por 150 g de creme de leite fresco.

índice

agradecimentos

Editor executivo: Nicola Hill
Editora: Ruth Wiseall
Diretora de criação: Karen Sawyer
Designer: Janis Utton
Fotógrafo: Ian Wallace
Estilista culinária e produtora fotográfica: Louise Pickford
Gerente de produção: Nigel Reid

Foto de capa: © Octopus Publishing Group Limited/William Shaw (capa); Ian Wallace (quarta capa)
Fotos especiais: © Octopus Publishing Group Limited/Ian Wallace
Outras fotos: © Octopus Publishing Group Limited/William Lingwood 55, 65, 79, 93, 147, 153, 195, 197, 205, 209, 215, 223, 227, 231, 233; /Lis Parsons 37; /William Shaw 43, 175